Cultures Sud

Notre Librairie

Revue des littératures d'Afrique, des Caraïbes et de l'océan Indien

Nouvelle génération
25 auteurs à découvrir

Coordination scientifique du numéro :
Papa Samba DIOP

Équipe éditoriale :
Directeur littéraire :
Jean-Louis JOUBERT
Rédactrice en chef, administration :
Nathalie PHILIPPE
Assistant - stagiaire :
Yann LÉZÉNÈS
Secrétariat :
Florence CLATIGNY

Directeur de Culturesfrance
Directeur de la publication :
Olivier POIVRE D'ARVOR
Directeur du département des publications et de l'écrit :
Jean de COLLONGUE
Directeur adjoint du département des publications et de l'écrit :
Paul de SINETY
Promotion - diffusion :
Anne du PARQUET

N° ISSN : 0755-38-54
N° ISBN : 978-2-917195-00-0

Remerciements aux éditions Flammarion, Gallimard, Interlignes, La Découverte, Le Fennec, L'Harmattan, L'Olivier, Le Rocher, Le Serpent à Plumes, Mémoire d'encrier, Ndzé, NEI, Obsidiane, Plon, Présence africaine, Sabine Wespieser, Vents d'Ailleurs, à l'agence Opale et à Dominique Mondoloni (SCAC de l'Ambassade de France au Mali).

Culturesfrance
Département des publications et de l'écrit
1 bis, avenue de Villars
75007 PARIS
Tél. +(33) (0)1 53 69 35 91
www.culturesfrance.com

Diffusion et abonnements :
La Documentation Française
(voir modalités à la fin du numéro)

Graphisme :
Olivier BRUNOT
graphisme@olivier-brunot.fr

Photographie de couverture :
© Lolo Veleko (Afrique du Sud)
« Kepi in the Bree Street », série « Beauty is in the eye of beholder », 2004, Johannesburg. Courtoisie d'Afronova et de la galerie Goodman.

Conseil scientifique de Cultures Sud

« Chacun porte seul son monde immense »

En 2001, la revue avait présenté vingt-deux auteurs francophones d'Afrique, de la Caraïbe et de l'océan Indien sous la dénomination « nouvelle génération[1] » qui depuis a fait école. Par la suite, plusieurs événements de la vie littéraire auront contribué à une large sensibilisation du grand public aux littératures du Sud : le prix Renaudot attribué à Alain Mabanckou en 2006 ; le Goncourt des lycéens à Léonora Miano la même année ; *le Ventre de l'Atlantique* de Fatou Diome, *best-seller* en 2005 ; *Francofffonies ! L'année des cultures francophones en France* durant toute l'année 2006 et plus particulièrement lors du Salon du livre de Paris.

C'est donc un paysage littéraire en constant mouvement, dont le cœur bat enfin au rythme du monde qui nous amène à renouveler l'expérience.

Ce numéro donne à lire vingt-cinq auteurs, vingt-cinq talents. Certains ne publient que depuis quelques années. D'autres depuis plus longtemps, mais tardivement reconnus ou encore redécouverts par un nouvel éditeur...

Il est difficile de définir des critères de sélection, mais il est une chose que tous ces auteurs ont en commun : la force de leur écriture et une vision du monde. Qu'ils inscrivent leur récit dans le réalisme social, non sans humour, à la manière de Venance Konan, Khadi Hane ou encore Patrice Nganang, ou dans une forme de réalisme à la fois merveilleux et violent à l'instar d'un Sami Tchak.

La nostalgie motivée par l'exil, le texte militant, une histoire douloureuse : « *chacun porte seul son monde immense* », disait Henri Lopes dans *Le Pleurer-Rire*[2]. Les vingt-cinq dossiers qui suivent sont autant d'invitations au cœur de la création littéraire, autant d'avant-goûts de lectures. Que ces pages amènent nos lecteurs à prolonger le voyage. Jusqu'à l'année prochaine, car désormais chaque numéro d'été sera un rendez-vous dédié à la découverte de nouvelles plumes des littératures du Sud.

Nathalie PHILIPPE
Rédactrice en chef de *Cultures Sud*

---

1. N° 146, octobre-décembre 2001.
2. Paris, Présence africaine, 1982.

1 Afrique noire

2 Caraïbes

3 Maghreb

4 Océan Indien

5 Actualités

1

Afrique noire

Le roman francophone subsaharien des années 2000 Les cadets de la post-indépendance

Papa Samba Diop*

Dans le numéro 146 d'octobre-décembre 2001, la revue *Notre Librairie* (devenue *Cultures Sud*) présentait dix[1] auteurs de la nouvelle génération d'écrivains francophones subsahariens. Il convient aujourd'hui de compléter ces présentations. Parce que des romanciers tels que Sami Tchak (*Le Paradis des chiots*, 2006), Fatou Diome (*Le Ventre de l'Atlantique*, Kétala) ou Tanella Boni (*Les Nègres n'iront jamais au paradis*, 2006), par ailleurs nouvelliste et poète ; Théo Ananissoh (*Un reptile par habitant*, 2007), Bessora (*Cueillez-moi jolis Messieurs*, 2007) ou Ousmane Diarra (*Pagne de femme*, 2007) ; Eugène Ébodé (*La Transmission* en 2002, *La divine colère* en 2004 et *Silikani*) ou encore Nathalie Etoké, en passe de publier la suite d'*Un amour sans papiers* paru en 1999 ; Isaac Bazié (*La Traversée nocturne*, 2004), Patrice Nganang, déjà si critique à l'égard du Cameroun dans *Temps de chien* (2001), et resté fidèle à cet élan dans les deux contes réunis dans *L'Invention du beau regard* en 2005 ; ou Venance Konan (*Les Prisonniers de la haine*, 2003) ; Mamadou Mahmoud N'Dongo (*L'Errance de Sidiki Bâ*, 1999, *Bridge Road*, 2006) ; Khadi Hane (*Il y en trop dans les rues de Paris*, 2005) ; Mariama Barry (*Le Cœur n'est pas un genou qu'on plie*, 2005) ou Edem (*Port-Mélo*, 2006) ; Aly Diallo (*La Révolte du Kòmò*, 2000) ou Libar Fofana (*Le Fils de l'arbre*, 2004, N'Körö, 2005) ; Arnold Sènou (*Ainsi va l'hattéria* en 2005) et Fatoumata Sidibé (*Une saison africaine*, 2006) ; quand ce ne sont pas Sylvie Kandé (*Lagon, lagunes*, 2000) ou Grégoire Biyogo (*Orphée Négro*, 2006) ont, les uns, continué à produire des textes de belle facture et, les autres, d'emblée imposé par la qualité de leur écriture un univers romanesque captivant. C'est ainsi qu'avec deux romans publiés à ce jour, *L'Intérieur de la nuit* (2005) et *Contours du jour qui vient* (2006), Léonora Miano s'affirme comme l'une des plumes les plus marquantes de la génération actuelle. Aux côtés de Marie Ndiaye, dont *Mon cœur à l'étroit* (2007), un douzième roman, à la tonalité douce, continue de signer l'incomparable style : celui d'un auteur expert à dire, avec minutie, et non sans humour parfois, les fêlures intimes et les malheurs familiaux ou professionnels engendrés par de subtiles formes d'ostracisme.

* *Docteur d'État de l'université de Bayreuth en 1993, professeur des universités depuis 1996 et directeur du Centre d'études francophones à l'université Paris XII, Papa Samba Diop a notamment écrit* Archéologie littéraire du roman sénégalais *(1996),* Littératures francophones : Langues et styles *(2001), ainsi que* Littératures africaines-Littératures francophones et Utopies *(2006).*

1. *Dix auteurs : Kangni Alem, Calixthe Beyala, Ken Bugul, Florent Couao-Zotti, Gaston-Paul Effa, Kossi Efoui, Koulsy Lamko, Alain Mabanckou, Véronique Tadjo et Abdourahman Waberi.*

Une littérature résolument affranchie du carcan idéologique.

Le récit subsaharien actuel mêle à des visions surréelles de graves observations touchant au délabrement des sociétés actuelles.

Une littérature « émancipée »

Écrivains nés autour des années 1960, cette génération – de la veille ou de la période immédiatement post-indépendances – produit aujourd'hui une littérature résolument affranchie du carcan idéologique ayant longtemps cantonné le roman ou le théâtre dans la référence-révérence à l'endroit d'une Afrique parfois mythique. En effet, ni Djungu Simba (né en 1953), ni Tanella Boni (1954), ni Caya Makhélé (1954) n'écrivent pour ériger en exemples de démocraties les contextes culturels et politiques dans lesquels sont nées – ou dont s'inspirent – certaines de leurs œuvres littéraires. Quant à Koffi Kwahulé (1956), Ousmane Diarra (né en 1960, comme Sami Tchak) ou Calixthe Beyala (1961), c'est avec plus ou moins de véhémence qu'ils s'en prennent au désordre social suscité par l'incurie ordinaire, à une certaine classe laborieuse africaine, si ce n'est à une élite vénale et souvent cynique (*Babyface*, 2006). Et c'est encore contre la condition subalterne faite à la femme africaine que s'élèvent Khadi Hane (1962) dans *Le Collier de paille* (2002) et Fatoumata Fathy Sidibé (1963) dans *Une saison africaine* (2006), la romancière malienne envisageant, pour Coumba, l'héroïne africaine entravée par le poids des traditions villageoises, l'union mixte – avec un homme blanc nommé Théo – comme une chance d'émancipation.

Y compris chez Ludovic Obiang, né en 1965 comme Abdourahman Waberi, et d'ordinaire si distant du hors-texte gabonais – car retiré dans l'univers envoûtant de ses nouvelles –, le récit subsaharien actuel mêle à des visions surréelles de graves observations touchant au délabrement des sociétés actuelles « *où l'esprit se révulse au spectacle de la misère* », comme dans la cinquième nouvelle (« *Le rêve en miettes* ») de *Et si les crocodiles pleuraient pour de vrai* (2006). Ainsi, Théo Ananissoh (1962) comme Fatou Diome ou Bessora (nées en 1968) témoignent-ils de cette dérive dans *Un reptile par habitant* (2007) ; *Le Ventre de l'Atlantique* (2003) et *Kétala* (2006) ; ou *Petroleum* (2004). Avec des œuvres façonnées entre réalité et cauchemar, ces écrivains de la post-indépendance ont fait des émules : Aminata Zaaria (*La nuit est tombée sur Dakar*, en 2004) et Léonora Miano (*L'Intérieur de la nuit* en 2005, *Contours du jour qui vient*, prix Goncourt des lycéens en 2006), toutes deux nées en 1973. Ou encore Edem (1975), remarqué dès la parution en 2006 de *Port-Mélo*. Ce premier roman étant la chronique macabre, dans une atmosphère de totale dictature, de la ruine irrémédiable d'un pays tyrannisé au point que l'essentiel des informations diffusées par la radio nationale consiste en des annonces nécrologiques.

Les vies individuelles sont prises malgré elles dans le tourbillon des idéologies nationalistes.

On assiste à une véritable restauration du genre romanesque.

Cette littérature de la post-indépendance, soucieuse parfois de rester strictement autobiographique, n'en glisse pas souvent, pour autant, hors de ce cadre, devenant ainsi une chronique du fait politique et social. Tant les vies individuelles sont prises malgré elles dans le tourbillon des idéologies nationalistes. C'est ainsi qu'Achille Ngoye, né en 1944 dans le haut Katanga, peut expliquer sa vocation : il est devenu auteur de romans policiers en observant le régime politique mis en place dans l'ex-Zaïre par le général Mobutu. Et Mariama Barry illustre cette imbrication imparable de l'itinéraire personnel dans celui d'une nation, faisant de son second roman, *Le Cœur n'est pas un genou qu'on plie* (2007), un solide réquisitoire contre Sékou Touré.

Bien que moins virulents, pourraient se ranger dans cette catégorie – du récit fortement étayé par des éléments autobiographiques mis au service d'une révision des sociétés auxquelles appartiennent les auteurs – des titres aussi divers que *Le Bourreau* (2004) ou *Les Femmes ne boivent pas de whisky* (2006) de Séverin Cécile Abega, *L'Invention du beau regard* de Patrice Nganang (2005), *Matins de couvre-feu* de Tanella Boni (2005), *Babyface* de Koffi Kwahulé (2006), *Port-Mélo* d'Edem (2006), ou *Pagne de femme* d'Ousmane Diarra (2007). La critique sociale n'est pas l'unique préoccupation de ces textes traitant de « *coins d'ombres violentes qui tordent le cou à tous les mythes poétiques et aux envies de noces et de lumière* » (Edem). Chez Koffi Kwahulé par exemple (*Babyface*, 2006), on assiste à une véritable restauration du genre romanesque. Celui-ci se pare dès lors de didascalies et de dispositions typographiques jusqu'ici caractéristiques de l'art dramatique. Et dans l'espace restreint de sa page se bousculent, rivalisant de pertinence, le texte d'un narrateur principal et celui du *Journal Imaginé* de Jérôme, une seconde voix qui participe de la polyphonie de l'œuvre. La question du récit moderne, selon cette poétique, est par conséquent celle du «*comment dire ça*[2] *qu'on a ressenti* », sans incohérences. À cette fin « *le roman doit sortir du roman* » : c'est-à-dire couper court à « *la propension des écrivains à tripoter leur nombril* » (*Babyface*, p. 70).

Du récit d'immigration à la littérature de la banlieue

Plus avant, une autre thématique se dégage du corpus des cadets de la post-indépendance : celle de l'immigration et des servitudes qui y sont attachées. Jean-Roger Essomba en avait fait en 1996 l'idée centrale du *Paradis du Nord*, puis un

2. *Sic. Le romancier ivoirianise le français.*

Dénoncer les conditions de vie faites en France aux immigrants africains.

Banlieues sordides, chambres de bonnes insalubres, métiers harassants aux salaires dérisoires, loisirs inexistants.

motif dans *Une Blanche dans le noir* en 2001. En 1999, de même qu'Alain Mabanckou (*Bleu Blanc Rouge*), Nathalie Etoké s'en saisit dans *Un amour sans papiers*, pour dénoncer les conditions de vie faites en France aux immigrants africains. Quant à Daniel Biyaouala (*L'Impasse*, 1997 ; *Agonies*, 1998) ou Sami Tchak (*Place des fêtes*, 2001), que rejoint dans ce courant un auteur plus ancien et venu du théâtre, Sénouvo Agbota Zinsou (*Le Médicament*, 2003), ils ont aussi, avec Calixthe Beyala (*Le petit prince de Belleville*, 1992 ; *Lettre d'une Afro-Française à ses compatriotes*, 2000) et plus récemment Gaston-Paul Effa (*À la vitesse d'un baiser sur la peau*, 2007), révélé la figure meurtrie de l'immigré perdu dans l'arène sociale comme dans sa vie intime. Et il n'en va pas autrement dans *Il y en a trop dans les rues de Paris* de Khadi Hane (2005), ou dans *Cueillez-moi jolis Messieurs* de Bessora (2007). Les personnages de ces romans sont exilés dans des confins dont ils semblent totalement incapables de revenir : banlieues sordides, chambres de bonnes insalubres, métiers harassants aux salaires dérisoires, loisirs inexistants. Autant de lieux ou de conditions concentrationnaires d'où ils rêvent d'une existence normale, dont ils se sentent irrémédiablement exclus.

Toutefois, comparable dans son âpreté à l'immigration Nord-Sud[3], il existe un versant Sud-Sud, cet autre exode interne à l'Afrique, quand ce n'est pas à un seul et même pays, et que décrit Aminata Zaaria dans *La Nuit est tombée sur Dakar* (2004). Il consiste, pour les deux jeunes héroïnes du roman, deux Sénégalaises, à quitter une campagne stérile pour Dakar où, pour survivre, elles se font entretenir par de riches barbons.

Cette Afrique moderne, non sans taches, et pourtant attachante[4], est le sujet de nombre de romans parus ces dernières années : *La Transmission* d'Eugène Ébodé (2002), *Fam !* de Chantal Magalie Mbazoo (2003), *Le Destin volé* (2003) de Jean-Roger Essomba, *L'Intérieur de la nuit* (2005) et *Contours du jour qui vient* (2006) de Léonora Miano, ou encore *La Traversée nocturne* (2004) d'Isaac Bazié et *Pagne de femme* (2007) d'Ousmane Diarra. Ces textes procèdent, de l'intérieur, à une saine révision des sphères familiales, politiques ou spirituelles, dont le fonctionnement aberrant compromet l'avenir des sociétés comme celui de chacun de leurs membres. Les Européens y font des apparitions de comparses. Ce qui n'est plus le cas dans les écrits de Bessora.

---

3. *Charles Djundu-Simba en écrit dans* Ici ça va *(Bruxelles, Atelier des écrivains marginaux, 2000) :* « Humiliés et martyrisés, les Congolais ne le sont pas seulement dans leur propre pays, ils se retrouvent aujourd'hui éparpillés aux quatre coins de la planète, préférant encourir toutes les misères de l'enfer plutôt que de retourner dans leur pays. » *p. 73.*

4. *Voir l'œuvre d'Ousmane Aledji (né en 1970), singulièrement* Cadavre mon bel amant, *Bertoua (Cameroun), Éditions Ndzé, 2003.*

Toutes les difficultés liées à la survie dans la périphérie des métropoles européennes.

Modeler le texte francophone en parfait réceptacle des lettres universelles.

Sur un autre plan, Thomté Ryam (né en 1979) est emblématique d'une génération nouvelle qui, par son cadre familial comme par sa philosophie de l'existence, exprime toutes les difficultés liées à la survie dans la périphérie des métropoles européennes. Son livre, *Banlieue noire* (2006), n'en est pas pour autant un roman désespéré. Car au bout de ses sombres galeries de portraits – d'élèves devenus des délinquants – et de la chaîne pesante des larcins puis des crimes, il a opté pour la vie : « *Il n'y aurait que moi sur terre, je préférerais mourir, mais j'ai une famille qui préfère me voir en vie* » dit le protagoniste, dont la raison vacille à la fin du récit. Ici, c'est à certains traits marquants de l'inspiration policière telle qu'elle nourrit les romans de Modibo Soukalo Keïta (*L'Archer bassari*, 1984) ou d'Achille Ngoye (*Agence Black Bafoussa*, 1996 ; *Sorcellerie à bout portant*, 1998 ; *Ballet noir à Château-Rouge*, 2001), d'Abasse Ndione (*La Vie en spirale*, 1984 et 1988) ou d'Iba Dia (*Fureur noire à Kango* (1988), quand ce n'est pas ceux d'Asse Guèye (*No woman, no cry*, 1987 ; *Negerkuss*, 1988), qu'il faut rattacher l'écriture de Ryam. Humour et fureur s'y côtoient souvent, parfois cynisme et inconscience, servis par une narration époustouflante.

Mythes et romans

Déjà dans *Hermina* (2003) Sami Tchak faisait entrer dans le roman subsaharien un hypotexte issu de la *Weltliteratur*[5]. Cette intertextualité est poursuivie de manière plus hardie par Alain Mabanckou qui, dans un roman-mosaïque hilarant en dépit des conditions humaines tragiques qui y sont décrites (*Verre cassé*, 2005), a soutenu la gageure de modeler le texte francophone en parfait réceptacle des lettres universelles.

Par d'autres biais, Bessora introduisant le mythe de Jason et des Argonautes dans *Petroleum*, et Edem celui d'Orphée dans *Port-Mélo*, indiquent l'un et l'autre les voies nouvelles par lesquelles chemine l'imaginaire romanesque subsaharien : celles non plus de l'allusion, mais de la citation explicite de sources occidentales réclamées désormais comme un légitime héritage. Cette inscription dans la modernité – entendue comme l'avènement de « *porteurs d'une nouvelle utopie* » – peut encore concerner les œuvres romanesques d'auteurs plutôt connus comme des

5. *On assiste au même phénomène dans le théâtre, qui introduit la violence parmi ses thèmes majeurs.* Cf. *la thèse d'Edwige Gbouablé :* « Des écritures de la violence dans les dramaturgies d'Afrique noire francophone : 1930-2005 ». *Sous la direction du Pr. Sylvie Chalaye, Université de Rennes 2, Haute Bretagne, février 2007.*

C'est dire que le roman subsaharien moderne n'est plus bâti sur un socle unique de connaissances africaines.

pédagogues ou des théoriciens de la littérature, Grégoire Biyogo par exemple. Celui-ci entrelace – dans *Orphée Négro* (2006) – plusieurs époques et plusieurs cultures, plusieurs épisodes autobiographiques et plusieurs notations réalistes : les bords du Komo par exemple. Il revisite ainsi le mythe de l'Atlantide en élargissant l'espace romanesque aux peuples des Atlantes, dont Platon rapporte, dans deux dialogues, que Solon les avait localisés dans une île proche des colonnes d'Hercule. Cette communauté aurait guerroyé et perdu contre Athènes. Solon lui-même tenant cette histoire d'un prêtre égyptien, Saïs, l'on n'est pas surpris que cette légende soit reprise par Biyogo, fervent égyptologue, qui se délecte ici à donner le change quant aux pistes inextricables du voyage – dans les langues et les cultures – auquel il invite son lecteur. C'est dire que le roman subsaharien moderne n'est plus bâti sur un socle unique de connaissances africaines. Il lui arrive de revendiquer des mythologues d'obédiences diverses, quand ce n'est pas Beckett, Blanchot ou Derrida comme de possibles poéticiens de ses configurations nouvelles. C'est ainsi que Sami Tchak présente certains passages des *Mémoires d'Hadrien* de Marguerite Yourcenar (1952) comme l'ayant inspiré pour ce qui est de la musique intérieure de *La Fête des masques* (2004) et Koffi Kwahulé tentant dans *Babyface* (2006) de capter par les mots du roman le *ça* de la vie politique en Eburnea (la Côte-d'Ivoire vraisemblablement), poursuit les mêmes *tropismes* que Nathalie Sarraute, avec en arrière-plan de son récit la critique du roman africain traditionnel.

Écriture et transgression

Le roman francophone subsaharien n'a jamais été aussi iconoclaste que ces dernières années, qu'il soit l'œuvre d'hommes ou de femmes. À cet égard, Sami Tchak continue avec *Hermina* (2003), *La fête des masques* (2004) et *Le Paradis des chiots* (2006) à contourner dans ses récits le territoire habituel de l'écriture francophone subsaharienne. Ses romans – qui accordent à l'érotisme, à l'ivresse et à la fête un approfondissement et une signification parfois tragiques – sont des variations thématiques par rapport à son premier récit, *Femme infidèle*, sorti aux NEA de Lomé en 1995. L'auteur, sociologue de formation, avait écrit avant 2004 quatre essais qui avaient requis un long travail de terrain : en 1995, *Formation d'une élite paysanne au Burkina Faso* ; en 1999, *La Sexualité féminine en Afrique* ; la même année *La Prostitution à Cuba* ; et, en 2000, *L'Afrique à l'épreuve du sida*. Ces ouvrages ne sont pas sans liens avec les textes romanesques.

© Catherine Millet

La violence consubstantielle à cette écriture est relayée chez les cadets par l'œuvre troublante d'Ousmane Aledji (né en 1970). *Cadavre mon bel amant* (1999), d'abord intitulé *L'Âme où j'ai mal*, est à cet égard singulièrement éloquent. Cette pièce de théâtre, en dépit de ses titres et de la rudesse de ses scènes, garde espoir en une Afrique à venir : celle figurée à la fin du texte par un enfant, « *la semence qui fera naître demain* ».

Création, langues et cultures africaines

Notons toutefois qu'aux antipodes de ces vues débridées, subsiste, souvent publiée par des maisons d'édition africaines, une littérature romanesque axée sur le monde rural, Sokhna Mbengue (née en 1967) étant l'une de ses représentantes les plus sûres, avec notamment *Waly Nguilane, le Protégé de Roog* (2003) qui, deux décennies après Jean Gerem Ciss (*Le Cri des anciens*, 1980), replonge le lecteur en milieu sérère.

L'écriture francophone n'est qu'une des manifestations possibles du talent littéraire chez un créateur africain.

Cette même année est paru, en langue wolof, un roman d'une incontestable souveraineté : *Doomi Golo* de Boubacar Boris Diop. Ce texte, où la conscience est grave des responsabilités de l'écrivain – qui se veut un témoin efficace –, remet en question tout le discours critique en circulation jusqu'à sa parution. Par la perfection de sa langue, la complexion authentiquement wolof de ses personnages et la vivacité toute sénégalaise des dialogues, *Doomi Golo* devrait persuader – les créateurs d'avant les indépendances comme ceux de la post-indépendance et leurs cadets – que l'écriture francophone n'est qu'une des manifestations possibles du talent littéraire chez un créateur africain. Boubacar Boris Diop écrit en wolof comme Léonora Miano disserte en français, sans futilité. En cela, ils sont assurés d'être toujours entendus.

© Catherine Millet

Souscrire à l'impitoyable littérature de l'aveu.

Écrivains avant tout

D'une génération à l'autre, les restaurations touchent à la fois à la forme du roman comme à son fond. Il y a en effet, outre le fait de la nationalité, une parenté thématique frappante entre Sony Labou Tansi, Caya Makhélé et Alain Mabanckou, entre Ahmadou Kourouma et Koffi Kwahulé, Tierno Monénembo et Mariama Barry. De même que les affinités sont nombreuses entre Ken Bugul, Aminata Zaaria ou Calixthe Beyala, lorsqu'écrire équivaut à souscrire à l'impitoyable littérature de l'aveu. Comme si, devant une toile de fond faite de réalités sociales communes, chaque romancier devait rédiger un texte à sa façon. Certains préférant peindre des caractères et des milieux (Théo Ananissoh, Ousmane Diarra, Fatou Diome, Koffi Kwahulé, Bessora, Marie Ndiaye ou Khadi Hane) ; d'autres des attitudes éthiques ou métaphysiques (Gaston-Paul Effa, Sokhna Mbengue ou Léonora Miano) ; d'autres encore, dans un total détachement du passé, l'engagement total en eux-mêmes : Aminata Zaaria (*La Nuit est tombée sur Dakar*, 2004), Nafissatou Dia Diouf (née en1973) dans *Retour d'un si long exil*, 2005, ou Olivier Bounkoulou (né en 1970) dans *Un arrière-goût de paradis*, 2006.

Néanmoins, dans la variété des processus créatifs, les démarches présentent certaines similitudes. Koffi Kwahulé est passé récemment du théâtre au roman, comme peu de temps auparavant l'avait fait Sénouvou Agbota Zinsou. Khadi Hane, de la nouvelle au théâtre en transitant par la fiction romanesque, à l'instar de Caya Makhélé. Kangni Alem également. Tout comme Abdourahman Waberi, Théo Ananissoh ou Fatou Diome se sont illustrés aussi bien dans la nouvelle que dans des genres plus élaborés. Quant à Véronique Tadjo, Tanella Boni, Ousmane Diarra et Amadou Tidiane Wone (*Le Crépuscule des vanités*, 2006), ils oscillent de la littérature de jeunesse à des récits plus ambitieux. De même qu'Alain Mabanckou – connu d'abord comme poète (*L'Usure des lendemains*, 1995, *La Légende de l'errance*, 1995, *Les Arbres aussi versent des larmes*, 1997, et *Quand le coq annoncera l'aube d'un autre jour*, 1999) – se distinguera dans la prose romanesque, *Bleu Blanc Rouge* en 1999 étant son premier roman. En Côte-d'Ivoire, Venance Konan, aussi perspicace comme journaliste que convaincant comme romancier, participe de cet art de la polygraphie. Comme Sokhna Mbengue, que le grand public connaît surtout par le roman *La Balade du sabador*[6] (2000), mais dont l'œuvre est riche de poèmes (*Les Exilés de la terre*, 2007) aussi bien que de nouvelles (*La Marche aveugle*, 2007). On peut encore citer Mamadou Mahmoud

---

6. *Grand prix littéraire du Sénégal en 2001.*

N'Dongo qui de la nouvelle (*L'Histoire du fauteuil qui s'amouracha d'une âme*, 1998), puis de l'évocation dans un style fragmentaire de la figure du « *tirailleur sénégalais* » (*L'Errance de Sidiki Bâ*, 1999) en est venu avec autant d'à-propos au roman noir (*Bridge Road*, 2006) et au cinéma. Et cette vivacité dans la création est toute présente chez Charles Djungu-Simba, qui est poète (*Turbulences*, 1992), conteur (*Autour du feu*, 1984), essayiste (*Le Phénomène Tshisekedi*, 1994) et auteur d'ouvrages ambivalents, car participant à la fois du roman et de la nouvelle (*On a échoué*, 1991, *Ici ça va*, 2000...). Ces créateurs suivent l'exemple de Pius Ngandu Nkashama qui s'est illustré dans tous genres, parallèment à une carrière d'universitaire.

Par ces noms sont désignés non pas de manière exclusive des romanciers ou des dramaturges, mais des *écrivains* qui explorent des genres divers. La post-indépendance est leur période commune et l'Afrique plus ou moins leur sujet, inépuisable. Ils y sont nés ou en viennent par des ascendances plus ou moins lointaines. Ils y vivent ou en sont partis. D'où le grand intérêt des textes qui d'une génération à l'autre, d'un genre à l'autre, tentent de mettre en œuvre un *style* de narration fait d'une part du souvenir des origines et des apports de la modernité, d'autre part de la sensibilité individuelle à l'égard du langage et des questions politiques, culturelles ou économiques posées par l'époque. Cette littérature en train de se faire est multipolaire, promue qu'elle est par des maisons d'édition implantées aussi bien en Europe qu'en Afrique.

Papa Samba DIOP

Théo Ananissoh : une écriture discrète et perspicace

Sélom Gbanou*

Contrairement à ce que pourrait faire penser le texte figurant sur la quatrième de couverture, Théo Ananissoh n'est pas un jeune écrivain né avec ses deux titres en date parus chez Gallimard : *Lisahohe*[1] (2005) et *Un Reptile par habitant*[2] (2007). En effet, sa venue à l'écriture remonte à 1992, lorsqu'il publia aux éditions de L'Harmattan son premier roman, sous le titre de *Territoire du Nord*[3]. Il était encore étudiant à Paris et préparait son doctorat. Le récit annexe les *topoï* d'un cahier de retour au pays natal avec, pour trame, la redécouverte par un étudiant en vacances des dérives sociopolitiques de son pays : le fameux Territoire du Nord, en proie à une chasse à l'homme initiée par le pouvoir en place. Prenant prétexte de la campagne de protection de la nature, les militaires terrorisent une population démunie qui a besoin de cette nature pour sa survie quotidienne. La situation suscite chez le narrateur une indignation contenue, mais largement amplifiée par la sournoiserie des institutions politiques et la désinvolture de quelques étudiants français dans la capitale de ce pays livré à lui-même.

Si ce roman est passé inaperçu, il aura eu le mérite d'annoncer un projet d'écriture singulier. On y découvre un chroniqueur attentif aux problèmes de son temps mais mesuré pour ce qui est de la conduite du récit. Discrétion et taciturnité caractérisent le narrateur, plus enclin à la suggestion et à l'effleurement qu'à une narration à l'emporte-pièce. La démarche créatrice s'énonce comme une entreprise complexe nourrie d'érudition et ouverte à la flexibilité de l'économie narrative, le tout soumis à un regard d'archiviste de l'histoire. Elle se confirme dans une écriture variée, en ce qui concerne la forme et le ton, dans deux récits oscillant entre nouvelle et roman, fiction de l'histoire et autofiction. Le premier, *Yeux ouverts*[4] – qui se compose de quatre textes mi-autonomes (comme des nouvelles) mi-complémentaires (comme des parties d'une trame homogène) –, est un enracinement charnel dans la vie d'étudiant du jeune Theo, fictionnellement Matthieu, en France, où la fascination pour la culture de l'imprimé et de la rationalité bute, par endroits, contre le racisme et la xénophobie.

En 2000, Théo Ananissoh, toujours aux éditions Haho, fait paraître un recueil de quatre nouvelles sous le titre de *New London House*[5]. Les fastes coloniaux du XVIIIe siècle sur la côte ouest-africaine sont au centre de la nouvelle dont l'œuvre porte le titre. La topique du retour (physique ou mémoriel) occupe une place de

---

* *Sélom Komlan Gbanou est titulaire d'un doctorat en philologie romane. Il enseigne les littératures francophones à l'université de Bayreuth et dirige la revue d'études africaines* Palabres.

1. *Paris, Gallimard, 2005 (coll. « Continents noirs »).*
2. *Paris, Gallimard, 2007 (coll. « Continents noirs »).*
3. *Paris, L'Harmattan, 1992 (coll. « Encres noires »).*
4. *Lomé, Éditions Haho, 1994.*
5. *Lomé, Éditions Haho, 2000.*

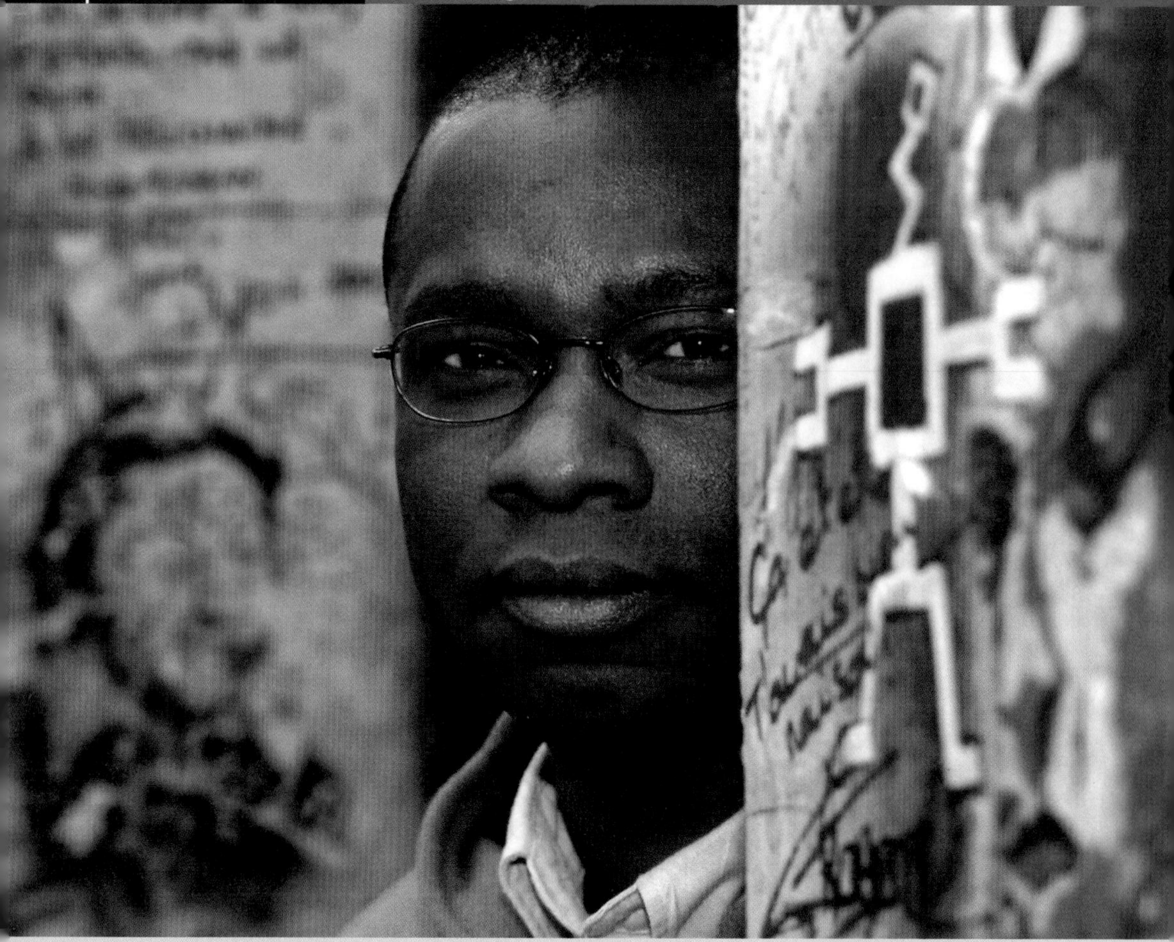

Théo Ananissoh

choix dans les nouvelles – « Dans le monde », « Rue N'Krumah » et « Le Consentement » –, en figurant les scènes de retrouvailles avec les êtres et les choses que l'on a quittés et qui s'appréhendent désormais dans une sclérose incompréhensible ou dans une dynamique sociopolitique aux issues incertaines. Cette œuvre est l'étape ultime de la fictionnalisation de l'histoire dont Théo Ananissoh entend faire le fondement de son écriture. Elle informe les spéculations auxquelles la mémoire peut soumettre l'histoire et le rapport délicat auquel tout retour est susceptible de mener entre la mémoire des lieux et leur réalité.

Pendant cette phase d'apprentissage, Théo Ananissoh fait partie de ces rares auteurs qui arrivent en Afrique tout en vivant en Europe. Nul doute que par son assiduité et sa discrétion dans la recherche d'une écriture maîtrisée, il s'est constitué sa propre encyclopédie de références, au fil des années et dans l'implicite dialogue avec le cercle restreint de ses premiers lecteurs et critiques. Ainsi, ce qui est apparu comme son premier roman, *Lisahohe*, ne fait que confirmer la démarche précautionneuse de maturation d'une écriture qui sait tâter le public pour sa propre évaluation. D'abord paru au Togo avant sa réédition en France, le roman

Théo Ananissoh fait partie de ces rares auteurs qui arrivent en Afrique tout en vivant en Europe.

Mêler la politique et l'histoire sur fond de suspense, avec un dispositif narratif rigoureusement travaillé.

double le regard désespéré du voyageur nostalgique de consternation et d'interrogations. *Lisahohe* – qui évoque tantôt le geste romantique du gouverneur allemand, qui a choisi la colline (*Höhe*) pour y construire une belle villa à sa dulcinée, Lisa, ou encore la métaphore de blancheur et de pureté (Lisa Hohe, la maison blanche de Lisa, l'interprétation que la langue locale donne de cette résidence qui prête son nom à la localité) – est devenu un lieu hanté par la désolation, l'angoisse et la mort. Tout a pourri sans avoir mûri : « *Ce que je découvris après quinze ans d'éloignement hantait pourtant déjà mon adolescence.* » (p. 106). La vie y est devenue une tragédie à la solde d'un implacable régime militaire qui fonde sa légitimité sur le fatalisme, l'arbitraire et les assassinats politiques.

Avec *Lisahohe*, la verve de Théo Ananissoh a trouvé sa parfaite expression : mêler la politique et l'histoire sur fond de suspense, avec un dispositif narratif rigoureusement travaillé pour susciter curiosité et émotion. On y voit se profiler les mécanismes d'une écriture méticuleuse dans ses allusions, dont les digressions sont autant de pistes à explorer, mais qui se refuse à l'analyse psychologique des protagonistes et des situations. Ce soupçon de tendance au thriller se confirme avec *Un reptile par habitant*, roman des petites gens confinées dans le silence et l'anonymat.

Théo Ananissoh ne cherche pas à faire bon marché des esthétiques à la mode. Ses héros ne magnifient ni ne condamnent la dynamique sociopolitique dans laquelle ils sont embarqués. Les drames s'agencent en segments narratifs furtivement enchâssés dans la trame de base nourrie d'une grande rigueur documentaire. Par-delà la volupté de son style dépouillé et largement classique, sans grandiloquence, la concision du propos et la retenue dans le ton, le regard à la fois détaché et diariste qu'il porte sur la société, Théo Ananissoh est un écrivain complexe qui combine du Gide et du Camus dans la peau de Thomas Mann.

Sélom GBANOU

Théo ANANISSOH
Un reptile par habitant
Paris, Gallimard, 2007, 106 p. (coll. « Continents noirs »)
11,90 €

Comment rester placide après un meurtre – et pas n'importe lequel, celui d'un haut responsable de l'armée qui est presque le vice-président du pays –, surtout quand on est innocent ? Tout le problème de Narcisse tient de ce dilemme d'être à la fois coupable et innocent. Arraché du lit en pleine nuit par un coup de fil, alors qu'il noyait paisiblement sa fatigue de la journée dans les bras d'une de ses maîtresses, Narcisse se rend chez Édith, avec qui il entretient aussi des relations amoureuses sporadiques. Ce qu'il découvre chez cette femme à la beauté éclatante, mais réputée pour sa nature volage, est stupéfiant. Dans sa superbe villa, sise en bordure de mer en plein cœur du quartier résidentiel, gît à même le sol le cadavre ensanglanté du colonel Katouka, chef d'état-major adjoint. Confus devant ce spectacle inattendu, qu'il met tout de suite sur le compte d'un crime politique, le jeune professeur de lycée conseille à sa maîtresse de ne rien dire de sa venue sur les lieux du crime et d'appeler la police. Mais, à peine arrivé chez lui et en pleine rumination de ce qu'il vient de vivre, le téléphone retentit de nouveau. C'est le sous-préfet, également mandé par Édith, qui le somme de revenir, en tant que premier témoin, sur les lieux. Malgré eux, les deux amants rivaux se trouvent embarqués dans une tumultueuse histoire de meurtre dans laquelle, désormais, ils sont impliqués en tant qu'acteurs. Ils se doivent de parer au plus urgent : trouver une voie de sortie, au risque d'endosser toute la responsabilité, si les autorités venaient à être informées de la disparition de l'illustre colonel. Des hypothèses s'enchaînent et se déchaînent dans la panique et l'angoisse.
À l'instigation du sous-préfet, ils décident de faire disparaître le corps encombrant de Katouka en l'enterrant dans la forêt. Quant à sa voiture banalisée, elle est abandonnée non loin de la frontière voisine pour feindre une fuite. Car, témoins involontaires, toute trace du dignitaire du régime peut désormais leur être fatale. Néanmoins, dans sa rigueur de mathématicien, Narcisse a pu mijoter un scénario pouvant les disculper tous les trois en cas de découverte de leur macabre complicité. Ils se promettent de ne plus se revoir afin de ne pas éveiller le moindre soupçon.
Quand enfin les médias reprennent à leur compte ce que la rumeur ne cesse d'amplifier, c'est pour annoncer à travers des commentaires foisonnant d'esprit que le numéro deux du régime s'est enfui du pays après son putsch manqué. Un tel développement, loin d'élucider le mystère du crime, multiplie davantage les équivoques, intrigue et inquiète Narcisse. Dans cet imbroglio politique où se multiplient les arrestations dans la plus haute hiérarchie de l'armée, pour complot contre la sécurité de l'État, sous l'égide du lâche et ingrat colonel en fuite, ce ne sont pas les révélations de son collègue Zupitzer, ce mordu de politique, qui peuvent le rassurer. Les conséquences de ce meurtre se font plus tragiques et Narcisse ne peut cacher sa confusion devant l'ampleur inattendue que prend l'événement sur le plan national. Tout son drame intérieur est de savoir comment se défaire de cette histoire qui continue de l'ébranler au plus profond de lui-même.
Dépassé par les événements, il décide de tout raconter à sa maîtresse, Joséphine, mais voilà que la radio annonce que le fuyard est localisé et sera capturé bientôt. La voix narrative incarnée par un élève de l'innocent-coupable Narcisse est la mémoire de l'histoire. Soucieuse de rester fidèle à la trame des événements, elle sait ménager suspense et discrétion dans un récit au dénouement imprévisible, au rythme et au ton captivants, avec des clins d'œil subtils aux bavures et forfaitures politiques. Un savoureux thriller politique.

Sélom GBANOU

Bessora ou l'art du détournement

Auguste Léopold Mbondé Mouangué*

Fille d'un diplomate gabonais et d'une Suissesse, Bessora est née à Bruxelles en 1968. Son véritable nom est Sandrine Nan-Nguéma, mais elle préférera signer son œuvre de ce pseudonyme qui signifie en langue fang : *celle qui partage*. Certains prétendent qu'elle se nomme Rosy Park. Mais on l'aura deviné, ce n'est là qu'un autre masque en forme d'hommage à la célèbre femme contestataire qui – par son refus de céder sa place dans un bus d'Alabama, transgressant ainsi les règles raciales du Sud – relance la lutte pour les droits civiques aux États-Unis. En cet autre nom d'emprunt, on pourrait voir le parti pris d'une œuvre qui montre du doigt les maux et injustices des sociétés modernes. L'hypothèse est d'autant plus défendable que l'œuvre déroule, derrière des identités constamment en mouvement, des récits de vie cabossées de personnages d'une vérité crue, pris dans un entrelacs familial et un quotidien épars, laissés à la marge, malmenés dans leur statut social.

Une brève carrière helvétique dans les durs milieux de la finance internationale ne la convainc pas. Elle quitte les rives suisses du Rhône pour s'installer sur celles parisiennes de la Seine : « *Je me suis rendue compte que ce n'était pas moi. Alors j'ai tout lâché. Je me suis recyclée, dans l'anthropologie d'abord, et puis dans l'écriture.* »

Tout comme l'anthropologue, observateur des modes d'organisation considérés dans leur particularité, l'écrivain a besoin d'un matériau : l'humain et ses mœurs. Dès lors, le quotidien dans sa nudité authentique devient lieu et objet qu'il approche de l'intérieur et de l'extérieur. On retrouve ces deux modalités dans l'œuvre littéraire de l'ancienne étudiante[1] de l'EHESS de Paris, qui pense aussi librement les pratiques humaines et aussi intensément les sens, au point de parfois choquer. Ses personnages sont des hommes et femmes à l'apparence sensible marquée, mais souvent sans identité complète. Le choix d'une structure en tiroirs du récit permet, cependant, d'insérer des fragments de vies d'aïeuls et bisaïeuls pour donner l'intelligence de l'histoire. Ce qui donne au récit, comme dans *Deux bébés et l'addition*[2], les contours d'un roman constitué d'histoires imbriquées. Le texte et sa vérité avancent ainsi masqués, à l'instar de l'auteure, dont le visage se dissimule si difficilement derrière le choix des mots, l'apparence physique et la

* *Auguste Léopold Mbonde Mouangué, docteur en littérature comparée de l'université Paris-IV Sorbonne, vit à Paris et poursuit ses recherches sur les épopées et les écritures émergentes du continent africain. Il est l'auteur de nombreux articles (dont « La composition discursive dans* Peuls *de Thierno Monénembo : la raillerie comme procédé rhétorique de construction et de solidarité », in Interculturel Francophonies, n° 9 ; « Naissance de Jèki la Njambé'a Inono : émergence d'un nouveau pouvoir au sein du Mboa » in Médiévales, n° 28, etc.) et d'un ouvrage Pouvoirs et conflits dans Jèki la Njambé'a Inono, une épopée camerounaise (L'Harmattan, mai 2005).*

1. *Sous son véritable nom de Sandrine Nan-Nguéma, elle a contribué à des revues scientifiques et a soutenu une thèse intitulée* Mémoires pétrolières au Gabon.
2. *Paris, Le Serpent à Plumes, 2002, (coll. « Fiction. Domaine Français »).*

La volonté d'échapper à toute norme discursive, énonciative et thématique.

voix de ses personnages. Centraux ou secondaires, ces « caramel[s] lisse[s] au café » – comme Zara (*53 cm*[3]), Waura (*Deux bébés et l'addition*) ou Juliette Binel (*Cueillez-moi jolis Messieurs*[4]) – affichent leurs affinités avec la silhouette de Bessora. Comme elle, ils ont des attaches gabonaises et sont souvent issus d'un mariage mixte. La plume de l'écrivaine s'amuse à mettre à nu les ressorts psychologiques, sociaux et économiques des souffrances qui habitent ces sans domicile fixe, sans emploi, sans famille, sans espoir, homosexuels, séropositifs et autres refoulés des conventions bien pensantes. Dans *53 cm*, son premier roman, qui connaît un succès littéraire remarquable, Bessora fait le récit des mésaventures de Zara et de sa petite Marie-Crevette dans leurs détails, remonte aux sources théoriques du mal pour interroger le racisme ordinaire et administratif, avec ce scrupule que l'on reconnaît aux scientifiques : « - *Parce que le racisme, c'est vraiment très vilain. La rationalité est un bien qui s'oppose à la racionalité qui est un mal. C'est tout de leur faute à eux, les biologistes, les anthropologues, les philosophes. Car en vérité, il n'y a aucun gène homogène derrière aucune race : les races sont une illusion de l'esprit et des sens, comme la platitude de la terre.* » (p. 94).

Le deuxième ouvrage viendra confirmer la notoriété en construction de la jeune romancière : *Les Taches d'encre* reçoivent le prix Félix-Fénéon en 2001. Romans et nouvelles se suivent dès lors à fréquence régulière. *Deux bébés et l'addition* (2002), *Courant d'air aux galeries*[5] (2003), *Petroleum*[6] (2004), *Le cru et le cuit* (2006), *Bionic Woman*[7] (2006), *Cueillez-moi jolis Messieurs* (2007). La trame est souvent un confetti de mésaventures et déconfitures de petites gens prises dans leurs bris de vie gonflée d'envies d'envol, de liberté ; on s'étouffe et étouffe l'alentour immédiat. On prend ses libertés. Les romans et nouvelles abordent des questions aussi variées qu'actuelles. On passe du pillage des ressources pétrolières du Gabon par ELF (*Petroleum*) à la difficulté de cohabiter dans un appartement parisien (*Cueillez-moi jolis Messieurs*). La question de l'identité (et de son corollaire l'hérédité) est dominante et omniprésente. Dans *Deux bébés et l'addition*, l'identité du narrateur-personnage central, Yéno alias Bokassa – petit-fils de Lukas, Allemand de Bavière, et de Proserpine, fille d'un Nganga du Gabon –, est révélée à la fois au lecteur et à un couple raciste et xénophobe au détour d'une réplique pour le moins triviale : « - *Emmeline n'a jamais vu un contrat de location de sa vie.*

---

3. Paris, Le Serpent à Plumes, 1999, (coll. « Fiction. Domaine Français »).
4. Paris, Gallimard, 2007, (coll. « Continents noirs »).
5. Paris, Éditions Éden, 2003, (coll. « Éden fictions »).
6. Paris, Éditions Denoël, 2004.
7. In Ananda Devi (Nouvelles recueillies par), Les Balançoires, *Yaoundé, Éditions Tropiques, 2006.*

Bessora © Catherine Hélie/Éditions Gallimard

Ni une facture d'électricité. Ni un pauvre. Ni un étranger./- La voilà initiée./ - Pardon ?/- Je disais... la voilà initiée : je suis étranger./- Vraiment ? dit le mari. On ne dirait pas, vous avez l'air normal.

Son cartable tombe à terre : Libération, le nouvel Observateur, Elle, Paris-Match *et deux ou trois autres magazines jonchent le sol. Pas d'étrangers ni de Français anormaux en couverture : que des gens blancs et bien élevés.* » (p. 83).

La volonté d'échapper à toute norme discursive et académique est un trait marquant de cette écriture métisse. On pourrait voir dans cette politique du mot qui va au plus près de la réalité à saisir, dans une sorte de croisade impitoyable contre les souffrances visibles ou impalpables, le désir de l'auteure de gêner une prise de contrôle de l'œuvre par le lecteur. Par ces stratégies narratives et sémiotiques, où l'art du détournement devient un élément constitutif de l'œuvre, Bessora dénonce et accuse les superstructures politiques, sociales et émotionnelles qui travaillent à la dissolution de l'humain.

Auguste Léopold MBONDÉ MOUANGUÉ

Bessora

Cueillez-moi jolis Messieurs...

Paris, Gallimard (coll. « Continents noirs »), Paris, 2007, 293 p.
18,50 €

Horriblement démuni face au mal, on ne s'unit pas aux autres, mais on unit, contraint, sa solitude, ses angoisses et son mal-être à ceux d'autrui. Tel pourrait être la morale qui clorait le dernier roman de Bessora, auteure gabonaise du célèbre *53 cm* (1999). *Cueillez-moi jolis Messieurs* est le récit d'une amitié tumultueuse, d'une maladie difficile à assumer et d'une quête d'appartement que déroulent deux discours intérieurs qui se croisent et s'éloignent au gré des aléas et des humeurs de deux héroïnes. Bessora tisse, dans ce roman écrit à la deuxième personne de politesse et à la première plus directe, des relations entre deux personnages dont les histoires commencent ailleurs et se poursuivent dans le récit actuel, par combinaison heureuse et transfert analogique, en une énorme toile en laquelle Claire et Juliette se débattent, se repoussent et finissent par se détester, faute de réponses sociétales à la hauteur des maux. « *Le mal est un secret, un secret femelle, cacheté à la cire, scellé par une chape de plomb. ÈEve punie et muselée. [...]. Une femelle au visage de cire et au sourire figé.* » (p. 79).
Claire Bauer a subi, gamine, des viols répétés de feu son père, avec la complicité de sa mère. Professeur introvertie, abandonnée par son mari, elle héberge Juliette Ebinel, une Africaine et ses deux enfants. Leur rencontre s'est faite un jour de grande détresse, alors que Claire tente d'enjamber le pont pour se jeter dans le vide et noyer dans la Seine le virus incrusté désormais dans son sang : elle vient d'apprendre sa séropositivité. Juliette, le secours providentiel, est une débrouillarde née qui n'a pas froid aux yeux. Elle a le ton haut, la parole tranchée, crue et drue. Veuve sans le sou, auteure d'un ouvrage sans fortune littéraire, elle anime un atelier d'écriture dans le lycée de Claire. Expulsée de son appartement peu après la mort de son mari, elle a du mal à loger sa petite famille, à faire le deuil de Luc et à se défaire de l'alcoolisme et du tabagisme. Elle découvre à la faveur d'un quiproquo la séropositivité de son hôte, qui s'emploie à la cacher à tout le monde, y compris à ses nombreux partenaires occasionnels.
Son imagination, marquée par le souvenir d'une lutte à mort entre un crocodile et un python, associe par contamination Luc et le saurien dans un corps à corps outre-tombe, avatar allégorique de celui qu'elle livre dans la promiscuité de l'appartement de Claire. « *Et vous qui avez subi la constriction du python, vous savez ce qu'est la promiscuité. [...]. Elle vous broie. L'espace de Claire me broie.* » (p. 142). Pour s'en échapper, Juliette prend le large avec filles et bagages, mais les deux amies, sans réelles affinités, ont du mal à rompre vraiment. Tandis que Claire multiplie des amours sans protections, Juliette, véritable « *mâle fait femme* », pour contourner les murs administratifs, use et abuse de filouteries mais se retrouve dans des appartements les uns plus miteux et anxiogènes que les autres. Le lecteur, que Bessora promène dans différents quartiers de Paris, découvre amusé et solidaire les mille et une ressources d'une mère démunie mais portée par le besoin urgent d'un toit pour ses enfants. Claire, enfin décidée à assumer sa maladie, s'ouvre à la fin du roman au « je » et aux bras de Moussa, séropositif comme elle, alors que, jusqu'ici, elle s'est réfugiée derrière un « vous » distant.
La tonalité humoristique, sarcastique et franchement grivoise s'encombre parfois de jeux de mots et de calembours besogneux. Les discours se côtoient, se croisent et s'alimentent mutuellement.
Ces paroles – à l'adresse des partants déjà atteints, de ceux qui sont partis mais terriblement présents et surtout des vivants, happés bientôt à leur tour par le mal –, si elles donnent en surface l'illusion d'être tournées sur elles-mêmes, de proche en proche, installent un immense cri d'alerte chez le lecteur, quels que soient par ailleurs les procédés de dédramatisation et d'atténuation mis à contribution pour dire le mal tabou.

Auguste Léopold
MBONDÉ MOUANGUÉ

L'écriture en mouvement de Tanella Boni

Madeleine Borgomano*

Tanella Boni, poète et romancière ivoirienne, enseigne la philosophie à l'université de Cocody à Abidjan. Entrée en littérature comme poète, avec *Labyrinthe*[1], elle devient romancière sans jamais renoncer à la poésie.

De 1993 à 2006, cinq recueils de poèmes sont publiés. Son écriture romanesque, en cela très fidèle à la tradition africaine du récit, et, en même temps, très moderne ne tient guère compte de la séparation des genres et se laisse trouer par des éclats de poésie.

Labyrinthe est composé de poèmes courts et simples, de chansons douces, à la Verlaine. Mais à cette douceur apparente il ne faut pas se fier, car la révolte couve, encouragée par le poète, du côté des femmes, thème principal du recueil. Encore écrasée sous « *mille ans de champs, de gosses et de torchons* », à la merci de la tradition et des ancêtres, « *non-homme* », « *chèvre-émissaire* », la femme africaine commence à se redresser, inquiétante : « *De quoi a-t-on peur ici ?* »

La métaphore du labyrinthe, récurrente tout au long de lœuvre, évoque une situation sans issue. Ne suggérerait-elle pas aussi l'espoir que la poésie réussisse à devenir un vrai fil d'Ariane ?

Dans *Grains de sable*[2], son deuxième recueil, l'écriture est beaucoup plus tourmentée, fragmentée, déchirée. Les mots, juxtaposés, sans syntaxe, se répètent jusqu'à l'angoisse : « *Amour amour amour* » (p. 34-35). « *Il n'y a pas de parole heureuse* » porte un titre d'autant plus explicite qu'il fait écho très ouvertement au célèbre poème d'Aragon : « *Il n'y a pas d'amour heureux* ». Hantés par le spectre des massacres du Rwanda, les poèmes, de nouveau très simples, frôlent l'indicible. Mais la poésie ne s'arrête pas au désespoir et, dans les deux recueils suivants – *Chaque jour l'espérance*[3] et *Ma peau est fenêtre d'avenir*[4] –, le poète se redresse malgré tout. Dernier recueil en date, *Gorée, île baobab*[5], est consacré à l'île-mémoire où l'on entend encore « *les clameurs de sang et de feu* » des esclaves embarqués pour un voyage sans retour.

Mais peut-on parler « sur » la poésie ? Il faudrait la dire, lui rendre sa voix et sa musique comme le suggère d'ailleurs Tanella Boni.

Il semble plus légitime de parler des romans, dont la trame est toujours profondément insérée dans le contexte historique et social. Les codes du romanesque afri-

---

* *Madeleine Borgomano est docteur d'État, elle a enseigné dans les universités de Rabat et d'Abidjan. Passionnée par l'Afrique, elle a publié plusieurs dizaines d'articles sur la littérature africaine, en particulier sur l'écriture des femmes, ainsi que deux ouvrages sur les romans d'Ahmadou Kourouma.*

1. *Lomé (Togo), éditions Akpagnon, 1984.*
2. *Limoges, éditions le Bruit des autres, 1993 (coll. « Le Traversier »).*
3. *Paris, L'Harmattan, 2002.*
4. *La Rochelle, éditions Rumeur des âges, 2004.*
5. *Limoges/Trois-Rivières (Canada), éditions le Bruit des autres/Écrits des forges, 2004 (coll. « Le Traversier »).*

Tanella Boni ©D. R.

cain diffèrent profondément des codes du romanesque européen. Et les temps difficiles que traverse l'Afrique ne sont guère favorables aux romans d'amour, ni à l'introspection nombrilique. Les romans restent donc pour la plupart d'abord des témoignages ou des cris. De façon moins directement « *déclarative* » que dans les décennies précédentes.

Tanella Boni, pourtant, raconte encore des histoires d'amour, au moins dans ses deux premiers romans. *Dans Une vie de crabe*[6], c'est l'histoire scandaleuse de Léti, femme de Dramane-le-bègue, qui se libère de la cage dorée où l'enfermait son vieil et riche époux et devient la maîtresse de Nyous, fils de son mari, c'est-à-dire, en Afrique, son propre fils. C'est donc l'histoire d'une transgression majeure, celle de l'inceste – qui reste un pseudo-inceste –, et d'un autre scandale, le meurtre, symbolique, du père, et pourquoi pas du « *père de la nation* » ? Car l'histoire peut se lire comme une parabole de la situation politique partout en Afrique de l'Ouest, dans les années 1980.

Les Baigneurs du Lac Rose[7] raconte l'histoire étrange de Lénie et de Yété, qui se rencontrent, se séparent, puis se retrouvent au bord du lac Rose, « *une histoire qui n'avait pas de fin* ».

---

6. Dakar, NEAS, 1990.
7. Paris, Le Serpent à Plumes, 2002.

Toutes ces histoires se déroulent dans l'espace d'une grande ville africaine.

L'alternance de la précision géographique et du flou symbolique reflète les fluctuations politiques.

Dans les deux romans suivants, il n'y a plus d'histoire d'amour. Les femmes, de mère en fille, se trouvent aux prises avec de « *grands félins* » (p. 178) qui les déchirent, les dévorent et les abandonnent.

Toutes ces histoires se déroulent dans l'espace d'une grande ville africaine. D'abord indéterminée, elle est affublée du pseudonyme de « *Djomo-la-lutte* ». Nommée Abidjan dans *Les Baigneurs du Lac Rose*, sa topographie devient si précise qu'elle produit l'effet déréalisant de l'hyperréalisme. De nouveau masquée, sous le nom de « *Zama* », dans *Matins de couvre-feu*[8], la ville redevient Abidjan dans le dernier roman. L'alternance de la précision géographique et du flou symbolique reflète les fluctuations politiques.

L'œuvre romanesque de Tanella Boni est l'écho de vingt ans d'histoire de la Côte-d'Ivoire, depuis les manifestations et les grèves d'étudiants et de lycéens des années 1980 (*Une vie de crabe*), jusqu'au régime des *Anges Bienfaiteurs*. Arrivés au pouvoir par « *un tour de sorcellerie que les experts en science politique appellent élections démocratiques* », ils font régner la terreur dans *Matins de couvre-feu*. « *Vraies pourritures vivantes* » (p. 25), selon la narratrice, assignée à résidence pour neuf mois, qui est l'une de leurs victimes.

Mais le roman ne s'intéresse guère à l'Histoire « *avec sa grande hache* ». Il reste au niveau des survivants, qui sont tous « *des morts en sursis* ». (p. 25). Sauf dans *Les Baigneurs du Lac Rose*, où Lénie, journaliste ivoirienne, tente de démystifier le mythe compensatoire de « *Misora* », ou Samory, dont la fin est, comme le dit Barthes, « *d'immobiliser le monde* »[9]

L'une des grandes qualités des romans de Tanella Boni est la pluralité et l'étagement des voix. Le récit avance toujours sur au moins deux niveaux emboîtés. Au premier niveau, une voix féminine souvent dédoublée. Ainsi, Léti, tout en racontant, avec un inévitable décalage, les événements présents, relit des pages de son journal, créant un effet de profondeur temporelle. Elle laisse la parole aux autres personnages – c'est Niyous qui ouvre le récit –, cite des rêves, des poèmes, des chansons.

Parce qu'elle est d'abord celle d'un poète, l'écriture de Tanella Boni est parfois déroutante. On citerait volontiers Verlaine : « *Il faut aussi que tu n'ailles point choisir tes mots sans quelque méprise...* ». Mais ce quelque chose de décalé et d'incertain n'est-il pas le signe d'une écriture en mouvement[10] ?

Madeleine BORGOMANO

---

8. Paris, Le Serpent à Plumes, 2005.

9. Roland Barthes, Mythologies, Paris, Seuil, 1957, p. 243 (coll. « Points »).

10. Son prochain ouvrage à paraître est un essai intitulé Que vivent les femmes d'Afrique ? *aux éditions du Panama (coll. "Cyclo").*

Tanella BONI
Les Nègres n'iront jamais au paradis
Paris, Le Serpent à Plumes, 2006, 207 p.
17,90 €

Le quatrième roman de Tanella Boni porte un titre énigmatique, *Les Nègres n'iront jamais au paradis.* Ces mots éclatent dans l'aéroport d'Abidjan, un de ces « *espaces de nulle part* » où tout reste en suspens. L'homme qui les profère parle tout seul, à voix haute, sans souci de la foule ébahie. Il est vêtu d'un grand boubou brodé, porté sur une peau blanche « *qui le rendait visible* » (p. 19). Cet homme étrange brouille les signes : il est « *blanc de peau* » et pourtant nègre. Une voix féminine anonyme raconte cette rencontre. L'ambivalence du « *je* » renvoie à la narratrice mais se prête aussi à une confusion avec l'auteur(e) qu'elle est et qu'elle n'est pas. L'une comme l'autre se donnent la tâche surprenante de faire « *la chasse aux idées reçues* », parentes de Lénie pourchassant, dans *Les Baigneurs du Lac Rose,* le mythe de Misora/Samory.
« *Les Nègres n'iront jamais au paradis ! La négation absolue planait au bout de l'expression.* » (p. 21).
La phrase en forme de slogan est obscure. Le commentaire, qui l'est tout autant, donne un exemple de l'écriture parfois déroutante de ce livre.
Déterminisme ? Condamnation ? Usage de la polysémie du mot *Nègre* ?
La narratrice intriguée commence ses investigations sur l'homme au boubou, en prenant place à côté de lui dans l'avion. Il se présente comme un éditeur qui s'intéresse exclusivement aux littératures « *venues des pays pauvres* ».
Il livre à la voyageuse inconnue son premier document : l'histoire par lui-même du premier séjour de « *Dieu* » en Afrique.
Un début aussi romanesque laisserait attendre un roman d'amour, mais il n'en est rien.
Le lecteur se trouve plutôt devant un avatar du roman policier.
Le roman d'une enquête sur la vie mouvementée d'Amédée-Jonas Dieusérail, « *Dieu* » pour les intimes. Ses vies, faut-il dire :
« *Je suis né une deuxième fois à l'âge de 22 ans à Korogho, dans le nord de la Côte d'Ivoire.* » (p. 28).
Il n'est alors qu'enseignant VSN.
Mais il découvre le paradis terrestre. Malheureusement, il commet la faute originelle en violant Sali, une fillette de douze ans, son élève. Chassé du jardin d'Éden et alourdi d'un remords incurable, il revient en Afrique comme prêtre. Homme de Dieu, il croit n'être plus un *homme*.
Mais il le redevient bientôt grâce à Laurence, une « *bonne sœur* », qu'il épouse mais qui finit par le quitter. Devenu professeur de philosophie à l'université, ses expériences pédagogiques le font remarquer par des « *responsables* ». Commence alors la vie secrète du « *conseiller occulte* », où il se met « *dans la peau d'un Nègre* ».
Ce résumé trahit un récit qui n'a rien de linéaire : morcelé, il est relativisé par l'intervention de narratrices multiples. Au récit direct adressé à l'inconnue de l'avion par « *Dieu* » lui-même, succède le texte de ses mémoires, oublié dans l'avion et subtilisé par la voyageuse, adressé au lecteur.
À quoi s'ajoutent le récit englobant de la narratrice première et les récits des « *vendeuses de secrets* » : Iris Agodi, Maryse, Wendyam, créatrice de mode, fille de « *Dieu* » sans le savoir et Sali, dite Lady Benz, riche commerçante.
Cette variation des points de vue permet d'offrir au lecteur un état des lieux de la Côte-d'Ivoire actuelle, très sombre, mais un peu éclairé quand même par le souvenir du paradis passé.
Le choix comme personnage central de ce petit dieu – ni blanc ni noir, ni bon ni méchant, exemple troublant des habitants d'un monde de l'entre-deux – est une intéressante trouvaille romanesque, affranchie du simplisme toujours menaçant et accordée aux ambiguïtés et aux fluctuations d'un monde en pleine crise.

Madeleine BORGOMANO

Ousmane Diarra : « en attendant le bonheur »...

Jean-Jacques Séwanou Dabla*

Enfant, Ousmane Diarra dévorait déjà les livres que la Croix-Rouge apportait dans son village natal de Basssola au Mali, puis des études de lettres modernes à Bamako, une période d'enseignement suivie d'un poste de bibliothécaire au Centre culturel français de la capitale, Bamako, n'ont fait que le rapprocher davantage de la littérature, dont il est devenu aujourd'hui un des auteurs prometteurs suite à la publication de ses deux premiers romans : *Vieux Lézard*[1] (2006) et *Pagne de Femme*[2] (2007).

Cependant, avant cette œuvre romanesque, il s'était déjà signalé comme auteur de littérature jeunesse en éditant dans son pays trois contes pour enfants. Ousmane Diarra pratique ensuite les genres de la poésie et de la nouvelle. Le recueil en vers libres *Balbutiements et chants aux vents* abordent les grands thèmes lyriques dans une expression soignée qui se fonde souvent sur les figures de l'analogie plutôt simples et qui nous livre son regard personnel sur le réel et la vie, la condition humaine ou la femme : « *J'aime la souffrance/ Comme je t'aime/ Toi femme/ Tes griffes/ Qui me lacèrent/ Me tracent les sillons/ De la vie...* » (« Souffrance »).

Le recueil de poèmes révèle également les préoccupations de l'auteur pour son temps et son pays, auquel il souhaite un sort plus heureux : « *Des femmes puis des enfants/ Aux cœurs gros/ Comme ma colère/ Qui ensemence le ciel/ Et la terre de leurs rêves de bonheur.* » (« Mon Pays »).

Quant aux neuf nouvelles des *Ombres de la nuit* – publiées la même année et par le même canal de l'éditeur en ligne « Le Manuscrit » –, elles s'intéressent davantage au Mali d'aujourd'hui et surtout à celui des petites gens survivant tant bien que mal dans les quartiers populaires tels que celui de Sama. La précision du témoignage de Ousmane Diarra et son implication directe ou non dans ces récits largement réalistes traduisent sa connaissance du terrain et une proximité évidente entre l'auteur, ses personnages et leurs histoires : « *À l'époque où j'habitais à Sama il était peuplé d'une faune cosmopolite... tous chassés des quartiers du centre par la Dévaluation et la Démocratie...* »

Les différentes formes de débrouille, l'influence des marabouts, les changements politiques, la place des structures sociales et des mentalités dans l'existence la plus quotidienne, telles seront les grandes lignes de force de la réflexion critique de Diarra.

---

* *Jean-Jacques Séwanou Dabla est d'origine togolaise, professeur au lycée de Mayenne et à l'université Rennes 2 ; auteur d'ouvrages critiques sur la littérature africaine, poète, nouvelliste. Il a publié notamment* Nouvelles Écritures Africaines, Catharsis, Leur Figure-là, Ciels de Vertiges.

1. *Paris, Gallimard, 2006.*
2. *Paris, Gallimard, 2007.*

Les personnages isolés de leur groupe social par leur personnalité et leurs ambitions hors normes illustrent la fracture entre l'individu et la collectivité.

Un islam qui méprise les croyances traditionnelles des « *animistes idolâtres cafres noirs ténébreux* ».

Au-delà de l'histoire d'amour que présente *Vieux Lézard* ainsi que de la révolution développée dans *Pagne de femme*, ce sont les mêmes thèmes et motifs qui sont déclinés et approfondis dans ces deux œuvres de Ousmane Diarra.

Ainsi le bibliothécaire quadragénaire du premier roman qui tombe amoureux de la belle étrange Sakira, comme le « *vieux Mandiminko furibond* » de *Pagne de femme* ont cette particularité d'être des personnages isolés de leur groupe social par leur personnalité et leurs ambitions hors normes et illustrent la fracture entre l'individu et la collectivité.

Autre sujet central commun aux deux romans : les religions. D'abord un islam plus ou moins inculturé et apparemment dominant qui régente tous les secteurs de la vie sociale, jusqu'à l'intolérance souvent, et qui méprise les croyances traditionnelles des « *animistes idolâtres cafres noirs ténébreux*[3] ». Mais il s'agit d'un islam dévoyé par ses dirigeants, divisés en « *safouroujahis bissimilahis prétendument modernes*[4] » généralement riches et corrompus, d'une part, et en petits marabouts plus traditionalistes, un peu plus honnêtes, d'autre part ; mais aucune de ces deux tendances ne parvenant jamais – malgré leur prétention – à libérer ni le pays de la misère, ni les hommes de leurs angoisses ; les laissant, au contraire, désemparés, perturbés.

Et si l'actualité africaine n'était présente qu'en filigrane dans *Vieux Lézard*, notamment à travers les piques rapides adressées aux dirigeants (p. 93) et aux conflits interethniques (p. 38), elle se trouve davantage développée dans le second roman. C'est en effet un univers d'impossible démocratie que peint l'œuvre, et que seule une véritable révolution pourrait refonder. C'est également dans son deuxième roman que Diarra pose les problèmes économiques et sociaux des programmes d'ajustement structurels et de la mondialisation, qui n'ont apporté qu'un surcroît de misère à bon nombre de pays africains et attisé les rêves d'émigration des jeunes vers le « *paradis où sous le pont Mirabeau et dans ma tête et dans mon cœur, coulent l'or et le fric et des houris à la peau couleur de lait frais*[5] ». On pourrait considérer que c'est une vision bien pessimiste que nous propose Diarra : Le Vieux Lézard devient un fou errant « *à courir la ville* » en quête de sa dulcinée mystérieusement disparue ; et la révolution voulue par Mandiminko est d'abord violences terribles et « *danse des fauves* ». Mais subsiste l'espoir incarné

---

3. Pagne de femme, *op. cit., p. 16.*
4. Idem, *p. 200.*
5. Idem, *p. 93.*

Ousmane Diarra © Catherine Hélie/Éditions Gallimard

par l'enfant djinn, fondé sur la conviction que « *seul l'extrême Mal peut chasser le Mal*[6] », pour enfin instaurer l'ère du bonheur.

Si l'ordre des récits (linéaire) et les points de vue (le plus souvent internes ou omniscients) demeurent traditionnels, il y a chez Ousmane Diarra un travail remarquable sur la narration, ses registres et son rythme. En effet, le réalisme, qui ne s'appuie guère sur des précisions spatio-temporelles, débouche sur un entre-deux merveilleux et fantastique qui introduit de façon à la fois plaisante et inquiétante le monde des djinns dans la banalité quotidienne : Sakira « *djinn ou pute ?* » (*Le Vieux Lézard* p. 105).

À cela s'ajoutent, dans le second roman, le comique de situation et des mots, ainsi que l'épopée des luttes contre le pouvoir en place.

Enfin, Diarra use d'une langue originale sur les plans lexical et syntaxique, mêlant proverbes et formules d'origine arabe pour nous offrir sa parole de conteur, une agréable « *oraliture* ».

Jean-Jacques Séwanou DABLA

---

6. *Idem, p. 213.*

Ousmane DIARRA

Pagne de femme

Paris, Gallimard, 2007, 228 p. (coll. « Continents noirs »)
17,90 €

Le deuxième roman d'Ousmane Diarra s'ouvre sur la fresque haletante de l'histoire de l'Afrique sahélienne ; aucun pays n'est vraiment désigné cependant. Se succèdent alors sous les yeux du lecteur les conquêtes islamique et coloniale, les temps de l'indépendance puis la période contemporaine, qui occupera l'essentiel du discours. Sur près de deux siècles donc, « *les vicissitudes de l'histoire, ajoutées aux dures conditions de la nature* » accablent une population qui semble, dans sa grande majorité, bien impuissante face à son sort.

Se multiplient ainsi des scènes qui sont autant d'exemples de violence en tout genre et confirment que le pays est tombé de Charybde en Scylla depuis l'ère des conquérants islamistes jusqu'aux jours actuels, où la dictature du « *président albinos noir* » vient en rajouter aux affres provoquées par la sécheresse et les criquets dévastateurs des champs que subissent « *les fils de vaincus... les petits-fils de vaincus* ». Et c'est à travers cette violence séculaire montrée à grands traits que l'œuvre rejoint la grande tradition de critique de la littérature africaine, dont presque tous les aspects sont ici convoqués : la corruption des fonctionnaires comme l'arbitraire d'une justice aux ordres ; les manipulations et la cupidité du pouvoir comme le désir d'exil des jeunes désemparés face à un horizon bouché ; la démocratisation impossible comme le libéralisme cruel pour le petit peuple...

La critique la plus acerbe dans sa récurrence, non atténuée ni par l'humour ni par l'ironie pourtant présents dans l'œuvre, concerne le problème religieux. C'est un écheveau terrible dans lequel s'affrontent d'une part islam traditionnel et islam moderne ; d'autre part animisme originel et islam, ce dernier ne manquant pas de sombrer dans la vénalité et la collusion avec le pouvoir.

Dans cette anomie, surgit « *Mandiminko furibond* », un animiste marginal, avec, de surcroît, chevillée au corps, la révolte contre la situation du pays et contre la démission des hommes. Avec l'aide plus ou moins volontaire du narrateur, individu cynique à souhait qui se contentait de faire fructifier ses affaires louches : « *Je vendais ma came et mes filles... négoce qui marche bien quand tout va mal.* » Mandiminko devient le justicier des petites gens avant de mourir de sa belle mort, non sans avoir ourdi une mystification gigantesque qui embrasera tout le pays. Il impose dans les croyances la naissance d'un messie, « *l'enfant djinn* », venu rétablir vérité, justice et bonheur et auquel les hommes de bonne volonté devront se rallier.

C'est alors le point de départ de jours et de nuits de révolte racontés dans un grand souffle épique et qui déboucheront sur le renversement du régime et sur la fin du règne des figures de l'oppression, vaincues de manière inattendue par la plus exécrable d'entre elles, le capitaine Tessirakoné.

Si l'histoire souffre quelque peu d'une action parfois complexe et d'une conclusion assez obscure, le roman intéresse par son projet critique et surtout par sa narration. Elle adopte en effet la voix du conteur, griot inspiré qui interpelle les « *Gens d'ici* » à coups d'interrogations et d'exclamations, de proverbes enfilés comme des perles de la parole traditionnelle et elle use d'une langue savoureuse par ses surprises inventives qui ne dédaignent ni le néologisme (« *les officiers grands quelques uns* », par exemple) ni la phrase bousculant tranquillement la syntaxe : (« [les gens] *ligotés fagotés colis-colis* »).

Jean-Jacques Séwanou DABLA

Fatou Diome, une écriture entre deux rives

Jacques Chevrier*

« *Voici ma barque qui tangue, entre blues et fous rires, toujours vers la liberté.* »
(Dédicace du *Ventre de l'Atlantique* à Jacques Chevrier)

Comme un leitmotiv, un proverbe traverse le roman de Fatou Diome, *Le Ventre de l'Atlantique*[1] : « *Chaque miette de vie doit servir à conquérir la dignité.* »

À la manière d'un conteur traditionnel, la répétition de ce proverbe dans le récit n'est rien moins qu'ornementale, dans la mesure où elle en rythme le mouvement et renvoie par métaphore à la dimension largement autobiographique du parcours de la jeune romancière sénégalaise.

Né à Niodor en 1968, Fatou Diome fait très tôt l'expérience de l'exclusion et de son corollaire, le combat pour la survie et la reconnaissance. Son statut d'enfant illégitime lui vaut en effet d'être rejetée par sa propre mère, mais, en revanche, elle trouve affection et réconfort auprès de sa grand-mère, avec laquelle se noue une étrange complicité. L'aïeule feint ainsi d'ignorer les frasques de sa petite-fille, qui, chaque fois que l'occasion lui en est donnée, va s'asseoir subrepticement au fond de l'école du village. D'abord refoulée par le maître, elle s'incruste, et cette clandestine en herbe devient bientôt, à force de ténacité, la meilleure élève de l'instituteur, monsieur Ndétaré – qu'elle évoque avec sympathie dans *Le Ventre de l'Atlantique* –, avant de poursuivre ses études à Dakar. Elle y fait la connaissance d'un Français, qu'elle épouse et qu'elle suit à Strasbourg. Mais la belle-famille, xénophobe, ne voit pas ce mariage d'un œil favorable. Conduite au divorce, Fatou Diome n'en décide pas moins de demeurer en France, où – après quelques années de « *petits boulots* », dont celui de femme de ménage qu'évoque la nouvelle « Cunégonde à la bibliothèque » – elle partage son temps entre ses études de lettres et l'écriture, son jardin secret. C'est le recueil intitulé *La Préférence nationale*[2] qui la révèle au grand public en 2001.

Nul misérabilisme, pourtant, dans la démarche de cette jeune femme au caractère bien trempé. Petite boule d'énergie, elle étonne tous ses interlocuteurs par sa liberté d'écriture et de parole.

Cette formidable soif de vivre, qu'accompagne un humour toujours aux aguets, qui caractérise Fatou Diome ne doit cependant pas occulter le combat qu'elle

---

* *Titulaire de la chaire d'études francophones de Paris IV de 1996 à 2003, Jacques Chevrier, ancien élève de l'École Normale Supérieure de Saint-Cloud, est actuellement professeur émérite à la Sorbonne. On lui doit une dizaine d'ouvrages, dont* Littérature nègre *(Paris, Armand Colin, 1re parution en 1974) ; Williams Sassine, écrivain de la marginalité (Toronto, éditions du GREF, 1995) ;* Les Blancs vus par les Africains *(Lausanne, Pierre-Marcel Favre, 1998). Il a récemment publié* L'Arbre à palabres. Essai sur les contes et récits traditionnels d'Afrique noire *(Paris, Hatier international, 2005) et* Le Lecteur d'Afriques *(Paris, Honoré Champion, 2005).*

1. *Paris, Éditions Anne Carrière, 2003, 295 p.*

2. *Paris, Présence Africaine, 2005, 123 p. (coll. « Poche »).*

Fatou Diome

À la difficulté de l'intégration sur le sol français vient s'ajouter le poids du malentendu qui s'épaissit à chaque retour au pays natal.

mène. « *Être hybride* », comme elle se définit elle-même, la romancière se compare à l'enfant présenté au sabre du roi Salomon (*Le Ventre de l'Atlantique*, p. 294) ; et, au-delà de sa situation propre, c'est bien entendu le destin de toute la génération de la « *migritude* » qu'elle évoque. Le statut d'émigrée/immigrée est en effet constamment rappelé à travers les trois textes publiés à ce jour par Fatou Diome.

La Préférence nationale relate le passage de l'Afrique à l'Europe, conséquence du mariage avec un Français, tandis que dans *Le Ventre de l'Atlantique*, et dans une moindre mesure dans *Kétala*[3], les deux univers sont quasiment superposés, la narration effectuant de constants allers-retours entre le Sénégal et Strasbourg.

Car, à la difficulté de l'intégration sur le sol français vient s'ajouter le poids du malentendu qui s'épaissit à chaque retour au pays natal. Les nouvelles qui composent *La Préférence nationale* témoignent éloquemment du mépris dans lequel sont tenus les immigrés et du regard dépréciatif dont ils font l'objet. Apercevant la femme de ménage de couleur que sa femme vient de recruter, monsieur Dupire ne peut s'empêcher de marquer sa désapprobation par une remarque particulièrement éloquente – « *Mais qu'est-ce que tu veux qu'on fasse de ça ?* » (p. 63) – ; et lorsqu'il la rencontre à la bibliothèque, quelques semaines plus tard, sa stupeur témoigne de sa difficulté à l'accepter en tant qu'étudiante préparant un DEA, et lisant des livres… tout comme lui.

Mais, côté Afrique, les choses ne sont pas plus faciles : « *je vais chez moi comme on va à l'étranger* » confie la narratrice du Ventre de l'Atlantique (p. 190) à l'occasion d'un voyage au Sénégal.

C'est ici que l'on mesure bien la prégnance des stéréotypes, puisque près d'un demi-siècle après les indépendances, le mirage occidental continue d'exercer ses effets pervers – Fatou Diome préfère parler de « *colonisation mentale* » –, chimère dont témoignent les récits mensongers des expatriés, à l'image de « l'homme de Barbès » qui « *nègre à Paris… s'était mis dès son retour à entretenir les miracles qui l'auréolaient de prestige* » : « *Un tâcheron quittait le foyer anonyme de la Sonacotra, un pharaon débarquait à Dakar* », commente ironiquement la narratrice (*Le Ventre de l'Atlantique*, p. 186).

Dans ces conditions, on comprend mieux que ce qui se joue dans la trajectoire romanesque de Fatou Diome c'est toute la problématique d'une construction identitaire qui est à la fois la sienne et celle de ses personnages. Que signifie en effet l'acte d'écriture dans un tel contexte ?

---

3. Paris, Flammarion, 2006, 277 p.

En posant un regard critique sur les deux sociétés auxquelles elle appartient, la narratrice entend bien faire œuvre militante.

Il va de soi qu'en posant un regard critique sur les deux sociétés auxquelles elle appartient, la narratrice entend bien faire œuvre militante en dénonçant tour à tour le racisme en France et en Afrique, le discours mensonger des immigrés, le poids écrasant de la tradition, la superstition, les faux marabouts, l'influence néfaste de la télé, l'exploitation des travailleurs étrangers en France... Mais la construction en abyme des textes romanesques de l'auteur de *La Préférence nationale* nous invite également à poser un regard interrogateur sur la démarche personnelle de Fatou Diome, pour qui l'écriture a constitué non seulement une arme de combat, mais également un refuge et un réflexe de survie : « *Ma grand-mère m'avait appris, confie-t-elle, que si les mots sont capables de déclarer une guerre, ils sont aussi assez puissants pour la gagner.* » (*Le Ventre de l'Atlantique*, p. 89).

Ainsi, pour la romancière, l'écriture apparaît-elle marquée du sceau de l'ambiguïté, à la fois gage d'une rupture et d'une liberté chèrement payées (dans le sens où elle sauve et isole dans le même temps) et facteur incontournable de la construction de soi : « *Partir, c'est avoir tous les courages, pour aller accoucher de soi-même, naître de soi étant la plus légitime des naissances* », peut alors conclure l'enfant meurtrie de Niodor.

Jacques CHEVRIER

Les intimités cosmiques d'Eugène Ébodé

Xavier Garnier*

Les personnages de la trilogie[1] autofictionnelle d'Eugène Ébodé sont pris entre les replis intimes de leur corps et les vibrations lointaines du cosmos. Cette conjonction entre la sphère intime et la totalité de l'univers fait éclater les cadres de référence habituels de l'autofiction. Ébodé écrit les vertiges cosmiques de l'expérience intime.

Signe des temps, Eugène Ébodé est un auteur cru. Une scène insoutenable de *La Transmission* nous montre Karl Ébodé – le père du narrateur, chirurgien dans le maquis pendant la guerre d'indépendance – disséquer à vif la jambe d'un blessé, dans une orgie de sang et de râles. Cet épisode fondateur oriente l'ensemble des récits vers une prise en compte de la profondeur physique des corps.

Les corps sont donc à l'avant-scène de ses romans : ils râlent, saignent, jouissent, se frottent les uns aux autres… Et le texte nous fait entendre ses moindres bruits : « *En courant, on entendait la bière qui glougloutait dans leur ventre*[2] » Les bruits qu'ils émettent ne sont pas un langage, mais un fond sonore. Dans l'amour, nous dit un personnage de *La transmission*, les paroles n'ont pas leur place : « *Quand on "gnoxe", les discours ça ne sert à rien ! Y a que le flic-floc de la queue qui cause !*[3] » Si les gens de Douala, nous est-il dit, aiment « *faire la chose* », la friction des corps derrière les cases génère un son unique tout particulier : « *le son mat made in Douala*[4] ». Le sexe, qui occupe une place importante chez cet auteur, est associé à la nécessité d'une décharge du corps, d'où l'attention toute particulière qu'il accorde à l'éjaculation, comme apothéose des corps.

Ces corps tendent à l'indifférenciation, ils n'existent jamais vraiment que fondus dans des autres, voire dans les foules. L'effondrement de la tribune dans un stade de football, l'événement clé de *La Divine colère*, raconte la transformation du public en foule à partir de cet « *enchevêtrement de corps, de pierres et de ferraille*[5] ». Les groupes et les masses sont l'élément premier des corps et on pourrait voir dans l'écriture narrative d'Ébodé une tentative pour isoler certains individus : là serait l'enjeu du récit.

Le récit naît d'un dispositif énonciatif valable pour toute la trilogie : le narrateur-auteur autofictionnel, Eugène Ébodé, s'adresse à Aline Sitoé, une femme dont on

---

* *Xavier Garnier enseigne la littérature comparée à l'université Paris de 13, où il dirige le Centre d'Étude des Nouveaux Espaces Littéraires (CENEL). Il a publié plusieurs ouvrages sur la littérature africaine et sur la théorie du récit.*

1. La Transmission, La Divine Colère *et* Silikani, *respectivement publiés en 2002, 2004 et 2006 aux éditions Gallimard (coll. « Continents noirs »).*
2. La Divine colère, *op. cit., p. 186.*
3. La Transmission, *op. cit., p. 50.*
4. La Transmission, *op. cit. p. 109.*
5. La Divine colère, *op. cit., p. 212.*

Témoigner de cette mêlée des corps comme pour en trouver les règles, ou plutôt pour y faire naître des vides.

Le football permet d'agencer la plénitude des corps et l'abstraction du vide.

sait fort peu de choses sinon qu'elle a disparu et que nul ne sait si elle est morte ou vivante. Eugène, quant à lui, a besoin de témoigner de cette mêlée des corps dont nous avons parlé, comme pour en trouver les règles, ou plutôt pour y faire naître des vides.

Les disparus sont le moteur de chacun des romans. *La Transmission* commence par la mort du père et la mission qu'il confie à son fils Eugène : payer la dot de son propre mariage. Il s'agit de réparer une faute ancienne qui a mis le temps hors de ses gonds : « *En payant ma dette tu seras pleinement installé au commencement et au commandement de ta propre vie*[6] ». *La Divine colère* tourne autour de la disparition de Kéru, un ancien virtuose du foot mystérieusement éliminé par un pouvoir politique inquiétant. Dans *Silikani*, Eugène apprend depuis Marseille que Chilane, la fiancée qu'il a laissée au pays, s'est suicidée en se jetant sous un train. De ce trou dans le réel, surgit l'évocation du passé que sera le roman.

Le trop-plein tumultueux des corps prépare le grand vide qui naît de leur disparition : « *La destruction d'un monde, la disparition des êtres de chair et de paroles pèsent longtemps, dans l'infiniment grand malheur que cause la souffrance. Leur absence accroît l'abattement déjà innommable des jours sans lune.*[7] »

Le football permet d'agencer la plénitude des corps et l'abstraction du vide. Le terrain de foot est à la fois un champ de bataille où se font les mêlées, où déferle la foule, et un lieu tracé de lignes visibles et invisibles qui exercent une influence sur les déplacements. Les matchs sont des descriptions de trajectoires : trajectoires du ballon et trajectoires de joueurs. Ces lignes dynamiques sont des concentrés d'énergie pure qui se déploient sous le regard d'un public, d'un peuple, d'une humanité, d'un cosmos. Il n'y a pas de limite à la dimension publique des événements que raconte Ébodé : comme tout écrivain, il s'adresse à tous les mondes, à tous les temps. Du cercle vide inscrit au centre du terrain de foot au cercle plein du cosmos il y a un pont que l'écrivain cherche à tracer : « *Aline Sitoé, j'ai cru comprendre que les ponts ne s'établissent jamais d'eux-mêmes. Il faut toujours quelqu'un pour les jeter entre les deux rives afin qu'ils soient la corde tendue entre le vide et le sublime.*[8] »

Les personnages d'Ébodé sont sous influence. Ils agissent sous l'impulsion de voix souvent aussi insituables que celles du désir ou de la mémoire, qui les mettent en mouvement et déclenchent des trajectoires imprévisibles. Au bout du compte

6. La Transmission, *op. cit. p. 24.*
7. La Divine colère, *p. 212.*
8. Ibid., *p. 99.*

Eugène Ébodé © Catherine Hélie/Éditions Gallimard

elles deviennent des itinéraires révélateurs. Il n'y a pas d'erreur possible dans l'univers narratif d'Ébodé, il n'y a aucune fausse piste, tous les tremblements, toutes les mauvaises passes, toutes les manipulations politiques les plus ignobles, font partie du jeu. Les petites manœuvres sont embarquées dans un élargissement sans fin, y compris les rêveries érotiques d'un adolescent pubère. Chilane et Silikani, les deux « *amoureuses d'Eugène* », celle qui lui est promise par sa mère et celle qui le fait rêver et vibrer sont les deux facettes d'un même désir du monde.

Le désir est toujours à la fois celui de rester et de partir. Les nombreux disparus de la trilogie romanesque d'Ébodé sont habités par un désir impérieux de retour qui sonne à nos oreilles comme les mots de Kéru, surgi du cœur de la nuit, le visage ensanglanté : « *C'est moi, Kéru. C'est moi ! Ne me laissez pas seul !*[9] »

Xavier GARNIER

9. Ibid., *p. 77.*

Eugène ÉBODÉ
Le Fouettateur
La Roque d'Anthéron, Vents d'ailleurs, 2006, 156 p.
14 €

L'entrelacement de textes de prose et de vers libres dans ce dernier livre d'Eugène Ébodé est un dispositif minutieusement mis en place pour porter une voix.
Le « *Fouettateur* » est un personnage-légende qui circule librement entre l'énoncé et l'énonciation, il est à la fois source de la parole et effet de la parole. Il est la clé de la bifurcation entre la prose et les vers, bifurcation où cherche à s'installer l'œuvre poétique.
Le fouettateur est solidaire de la mémoire des violences de ce monde, par-delà les distances historiques et géographiques, il en tire de façon accumulative sa dynamique de résistance.
La question lancinante « *Qui est le fouettateur ?* » ne peut trouver de réponse fixe : il est aussi peu identifiable qu'une énergie, il est un pur effet dont on peut tout au plus enquêter sur les causes.
« *Un souvenir extrait la brume en soi... C'est ce que dit le Fouettateur* » (p. 57), ainsi parle un personnage bien plus brumeux que solaire.
Le Fouettateur glisse à la surface du monde comme une ombre enveloppante, inquiétante et pourtant salvatrice. Cet écho du monde, tissé des cris des suppliciés, est investi par une parole poétique qui lui donne forme. Ce que dit le Fouettateur est donc beaucoup plus important que ce qu'il est. Le centre de gravité de ce livre est situé dans l'avenir, les paroles sont projetées en avant pour former un appel :
« *Les appels-fleuves bombent la poitrine des caïmans,/ Pour que l'onde fasse écho,/ L'écho qui fouine,/ L'écho qui répond,/ L'écho qui pond la forme.* »
(p. 109).
Les dires du Fouettateur participent de sa légende, ils circulent en écho dans le texte et donnent consistance à la résistance à venir. Le Fouettateur ne peut être un héros monolithique et solaire, en fonction même de l'ennemi diffus qu'il a vocation de combattre.
Au cœur du poème d'Ébodé, il y a un combat politique et moral, il y a une lutte d'influence entre deux flux dont l'un porte la vie et l'autre la mort. Éliminer l'odeur de mort par un parfum de vie, la lutte sera moléculaire :
« *Aussi, appartient-il à la génération des nouveaux parfumeurs, convaincue de la nécessité de rompre avec l'ère de la bonté larmoyante, anonymement chic et toc, de trouver les essences susceptibles de pulvériser l'Ordre des pestilences. Il est sans visage. Monstre froid, comptable aux contours flous, fuyant et mesquin, sarcastique et sardonique, il court et voltige au-dessus des nuées. Mais il revient à sa source délirante : le tiroir-caisse !* »
(p. 155-156). L'ennemi est lui aussi difficile à identifier, il est lui aussi un effet qui prend sa source dans le tiroir-caisse, mais qui ne saurait être résumé au seul mot « argent ». Il se reconnaît à ses effets mortifères et nauséabonds.
Le Fouettateur le connaît à fond, il en émane et lui oppose « *une résistance joyeuse* » (p. 156). Dans ce combat entre flux, il ne peut y avoir de héros compacts mais des principes fluides qui font corps avec une parole poétique. On pense au personnage de Balthazar Bodule-Jules dans le dernier roman de Patrick Chamoiseau[1], le militant solaire métamorphosé, « *molécularisé* » par un principe féminin. Ainsi le Fouettateur rencontre la Fouettatrice : « *Ils se regardèrent. Puis avancèrent l'un vers l'autre./ Et on n'entendit plus une mouche voler./ Il y eut un gros nuage dans lequel ils entrèrent./ Il et elle liés,/ Il et elle fagotés,/ Il et elle atteints, béatifiés... psalmodiant :/ Nous rédigeons l'acte de naissance du monde neuf.* »

Xavier GARNIER

1. *Patrick Chamoiseau,* Biblique des derniers gestes, *Paris, Gallimard, 2002.*

Khadi Hane : une écriture montante

Papa Samba Diop

« *J'ai oublié de vous dire que je suis peule* ».
Khadi Hane : *in* « La Maison sur la colline », dans *Enfances*[1].

Avec *Sous le regard des étoiles*[2], roman paru aux Nouvelles Éditions Africaines du Sénégal en 1998, puis en 2001 *Ma sale peau noire*[3] et *Les Violons de la haine*[4], Khadi Hane est aussi nouvelliste et dramaturge. Elle a fait paraître, dans le recueil de nouvelles intitulé *Je suis vraiment de bonne foi*[5] « Le Désarroi », qui éclaire sur la vision qu'elle a des sociétés traditionnelles. Cette nouvelle stigmatise la survivance de certaines croyances rétrogrades, en particulier la foi en des esprits capables de décider de la prospérité ou de la damnation d'un village. C'est ainsi qu'elle met en scène, dans le village de Niakhane – que l'on retrouvera dans le roman intitulé *Le Collier de paille*[6] – Dieyaka, un jeune garçon surnommé Gourdho (bien nourri), et dont la venue au monde doit redonner au village son dynamisme en y ramenant la prospérité. Simplement, Dieyaka est le fruit d'une tractation secrète entre sa mère et « *des génies invisibles* » : il doit être décapité, une fois sa mission accomplie, c'est le chef de village qui exécutera cette tâche. Avec le sang de la victime, il arrosera les baobabs, le reste du corps étant livré aux charognards. La cruauté de ce texte vise à l'édification des « *femmes qui, aujourd'hui encore, refusent d'accepter leur stérilité, et s'obstinent à faire appel aux pouvoirs incommensurables des sorciers* ».

De Khadi Hane, on connaît ensuite *Quand vient le printemps, le chant des cigales devient plaintif*[7], *Le Collier de paille*, qui relate les amours de la descendance d'un « *clan très noble où aucun scandale n'avait jamais éclaté* ».

Mais Khadi Hane n'écrit pas seulement pour vilipender des institutions ou des pratiques sociales condamnables. Son œuvre comporte aussi des écrits autobiographiques tels que « La Maison sur la colline » : une nouvelle d'une quinzaine de pages où apparaissent des personnages de son enfance. À savoir la grand-mère Boolo, une octogénaire, qui « *aimait chiquer du tabac, et fumait la pipe* ». Elle « *avait une voix magique et tout le monde l'aimait* ».

Il y a aussi Patricia, la maîtresse d'école, qui lui a appris l'histoire, la géographie, le calcul et l'écriture. Patricia, qui lit à ses élèves *Le Petit Chaperon rouge*,

1. *Recueil de neuf nouvelles (d'Ananda Dévi, Florent Couao-Zotti, Éliane Kodjo, Raharimanana, Kangni Alem, Alain Mabanckou, Michel Cadence et Khadi Hane et Sami Tckak) réunies par Alain Mabanckou. Paris-Libreville, Éditions Ndzé, 2005.*
2. *Dakar, NEA, 1998.*
3. *Manuscrit.com, 2001.*
4. *Manuscrit.com, 2001.*
5. *Libreville, Éditions Ndzé, 2001.*
6. *Bertoua (Cameroun), Éditions Ndzé, 2002.*
7. *Dakar, NEA, 2000.*

Elle est opposée à ce que l'on « *exige des Africains qu'ils renient leurs propres langues au profit du français* ».

La volonté de l'auteur de procéder à une sociologie radicale de l'immigration et de ses déviances.

Peau d'âne et *Le Petit Poucet*, et qui les fait rire ou pleurer selon la nature des récits, mais qui ne répond pas entièrement à toutes les attentes de la petite Peule. Si l'institutrice sait lui expliquer les raisons de l'esclavage, puis celles de la colonisation et de ses excès – le camp de Thiaroye en 1944, par exemple –, en revanche, elle n'évoque jamais avec elle les épopées de « *Soundjata Keïta, de Samory Touré et de Kankan Moussa* ».

Parmi les figures attachantes de son enfance il y a aussi celles de ses deux frères et de sa sœur, qui ont toujours joué avec elle, jusqu'au jour où ils n'ont plus voulu l'accompagner à son bain de mer et où elle s'y est rendue seule, et a failli se noyer. Sauvée par un vieux pêcheur, elle devra ensuite écouter la grand-mère Boolo l'instruire de l'histoire de la mer et de sa gardienne : Mame Coumba Castel. « *Elle vit dans les profondeurs. On ne peut troubler son sommeil sans sa permission, sinon elle se fâche et ses colères sont ravageuses.* » Tout baigneur doit implorer sa protection avant de se jeter à l'eau. Ce que ne savait pas la jeune héroïne.

En 2005, le texte qui fait suite à ces notations autobiographiques est *Il y en a trop dans les rues de Paris*[8]. Il relate les faits et gestes d'une catégorie de personnages peu recommandables (proxénètes, prostituées, toxicomanes ou autres marginaux), saisis dans le vif de leurs activités et de leurs imprécations contre la société policée. Cette pièce de théâtre présente principalement cinq acteurs. Lucie, une Française, elle se prostitue, mais demeure viscéralement antiraciste. Ami, une Sénégalo-Malienne, elle aussi prostituée, qui déplore l'absence de solidarité dans la communauté noire ; il lui arrive d'intervenir directement en langue wolof dans le texte, car elle est opposée à ce que l'on « *exige des Africains qu'ils renient leurs propres langues au profit du français* ». Il y a encore Mouna, une fille publique comme les autres, c'est une Beure, honteuse de ses origines algériennes et exagérément attachée à la France. Puis vient l'Homme, autrement appelé Charlemagne, un Congolais toujours tiré à quatre épingles, il est amoureux d'Ami et veut l'épouser en dépit de tout. Enfin, on n'oubliera pas le Fou, personnage illuminé, qui a toujours la Bible en main et parcourt les rues annonçant que « *Jésus est proche* ».

À travers les propos que ces déclassés tiennent, sur la République démocratique du Congo ou la francophonie, sur les dérapages verbaux des hommes politiques en France, sur la religion et ses espérances, mais aussi sur le racisme qui a cours au sein même du groupe des « *minorités* » – Mouna ne veut pas, par exemple, « *prendre des immigrés* » – ou sur la fuite des cerveaux ; on perçoit la volonté de l'auteur de procéder à une sociologie radicale de l'immigration et de ses déviances.

---

8. *Bertoua (Cameroun), Éditions Ndzé, 2005.*

Des sociétés traditionnelles minées par des croyances superstitieuses, des vies conjugales étriquées...

Cette œuvre est à l'opposé d'une écriture détachée des contingences politiques, économiques et culturelles.

Les sociétés traditionnelles minées par des croyances superstitieuses dans « Désarroi », les vies conjugales étriquées (*Le Collier de paille*), mais aussi la relation de souvenirs d'enfance et de jeunesse (« La maison sur colline »), ou la dénonciation du racisme ordinaire, alliée à la description sans fard des affres de l'immigration (*Il y en a trop dans les rues de Paris*), sont les thèmes les plus courants dans l'œuvre littéraire de Khadi Hane, née à Dakar en 1962. Il peut s'y ajouter la peinture, à des fins de stigmatisation, de la violence verbale pouvant affecter les relations entre « immigrés ». C'est dire que cette œuvre est à l'opposé d'une écriture détachée des contingences politiques, économiques et culturelles. Son auteur est diplômé en administration des affaires.

Papa Samba DIOP

Khadi Hane

Bienvenue sur terre

Khadi Hane

Mon œil se posa sur ses cuisses. Rien d'autre alentour. Avec bassesse, elles étaient cédées dans une position que les âges allaient noyer au fond des souvenirs. Ces énormes choses s'écartaient, vrillaient, se refermaient. J'avais à peine pointé le haut de ma tête. Ma mère hurlait face à la matrone, et la dureté du visage de la sage-femme en disait long sur son hôpital boiteux.
- Poussez, poussez, faisait-elle.
Elle se releva, s'essuya le front d'une main gantée. Ses doigts sourdaient du caoutchouc, et je devinai la terre hostile. Poussez, poussez. Mes premiers mots. Le corps de ma mère s'arc-bouta. Comme un chevreuil moribond, elle émit un râle, saleté de monde, j'augurais l'enfer qui m'y attendait. La ventrière s'éloigna de maman, palpa le ventre de l'autre femme fléchie dans la même posture servile. Elle se remit à jacasser. Poussez, poussez. Rien ne m'encourageait à sortir. Je larguai une œillade sur la montagne de chair. La salle d'accouchement était emplie d'abois, on y suait la douleur. Je m'accrochai à je ne sais quoi dans le tunnel, maman gémissait toujours, et je refusais de naître. Poussez, poussez. La sage-femme tendit les doigts sous ses gants, les replia, les tendit à nouveau, prête à accrocher ma tête. Non, non et non. Les trois poils sur mon crâne se dressèrent sous l'assaut de sa main. Saleté de bonne femme. Elle se mit à tirer, obstination et colère égarées sur son visage. Je fermai les yeux. Qui de ma mère et moi souffrait le plus ? Déjà, l'avenir se dessinait, la terre ne prédisait rien de bon. Je ne veux pas naître.
- Vous l'avez bien cherché, fit la sage-femme, c'était bon, non ? Maintenant, poussez.
Bon sang, elle n'avait que ce mot-là à la bouche. Et ma mère qui poussait ! Je m'accrochai au cordon. Fichez-moi la paix, je ne veux pas naître. Elle continua de tirer ma tête, ça faisait mal et je m'en foutais. Ses cris butaient contre mes tympans, elle hurlait, engueulait maman qui n'en pouvait plus de pousser. Son cynisme cinglait les femmes affalées dans les lits, un berceau crasseux à leurs pieds.
- Taisez-vous, elle s'énerva, je n'ai pas dix mains, à chacune son tour. J'en ai assez de vos jérémiades.
Les femmes obéirent un instant puis, les abois reprenaient, la salle de travail empestait à nouveau la douleur. Un pas en avant, un en arrière, la ventrière appuya sur le ventre de maman. Poussez, poussez. Je gardai les yeux fermés : aucune envie de me faire avoir. Les autres se tordaient, à se demander si le plaisir en valait le coup. Quelques secondes de passe-passe minable, et les voilà sacrifiées à la punition divine. On raconte que l'accouchement est une sanction infligée à cause de l'autre, la première dame qui avait fauté en faisant avaler une pomme à son idiot de mari. La sage-femme jura encore.
Elle plaqua un casque sur le nez de ma mère : respirez, respirez. Puis, elle passa une main sur son front. L'autre battait l'air, exhortait la patiente à m'expulser enfin. Respirez, poussez, poussez, merde.
Une heure de travail où je déployai mes forces, elle, son expérience et la lassitude d'engueuler maman, la matrone des ères modernes eut raison de mes réticences : ma tête jaillit. Sans art, elle tira dessus, le reste de mon corps émergea tel un ressort. L'accouchée suivit du regard l'ascension du machin sorti de ses boyaux, de l'intérieur de ses cuisses jusqu'à son ventre flapi. Un sourire illumina ses lèvres. La ventrière flanqua une main sous mon ventre, l'autre me bottinait les fesses, elle me collait la raclée comme si j'avais été coupable de la précarité dans laquelle elle opérait. Bien sûr, je criai, à me fêler les cordes vocales. Son regard livide se posa sur moi, quelque chose dans l'expression de son visage confessait que je n'avais rien d'un ange. Merde, j'étais moche comme la guigne.

« Le bal des singes », nouvelle inédite de Khadi Hane

Venance Konan, la libération par le rire

Léontine Gueyes*

Si le quotidien ivoirien *Fraternité Matin*, journal proche du pouvoir en place, a perdu un de ses meilleurs journalistes, démissionné de son poste de rédacteur en chef, le monde des écrivains ivoiriens se réjouit de l'émergence d'un écrivain au talent prometteur. L'écrivain-journaliste Venance Konan est l'auteur d'un roman, *Les Prisonniers de la haine*[1] et d'un recueil de six nouvelles, *Robert et les Catapila*[2].

La passion pour l'écriture et la critique de l'actualité africaine qui ont toujours animé Venance Konan explosent dans son œuvre de fiction. Le lecteur retrouve donc avec bonheur, d'une œuvre à l'autre, cette habilité du journaliste-écrivain à mêler fiction et histoire dans un style alerte, plein d'humour et accessible à tous.

L'impression générale qui se dégage d'emblée de l'œuvre est celle d'une incursion dans un univers sociopolitique décadent et inquiétant.

Le narrateur principal de *Les Prisonniers de la haine* en témoigne, non sans une note de tristesse : « *Aujourd'hui, trente ans après l'indépendance, la Côte-d'Ivoire se retrouvait sans avenir. Le président avait au moins quatre-vingt-dix ans et tout le reste de sa vie était tourné vers le passé.* » (p. 45).

L'œuvre de Venance Konan est campée dans un cadre connu : la Côte-d'Ivoire. Le peuple ivoirien tel que décrit dans son roman n'a aucun avenir. L'ordre ancien s'effrite sous l'effet d'une politique inadaptée et l'érosion des valeurs. La jeunesse est désemparée. Les adolescents errent dans la ville, sans repère face à des parents défaillants et à des institutions politique, religieuse et judiciaire incapables d'ouvrir des perspectives prometteuses.

Les jeunes filles exhibent leur débauche sans pudeur et sans complexe. Elles rejettent l'effort qui mène à la réussite pour chercher une jouissance immédiate. Le principe de plaisir se donne comme une permanence. Alors que la maîtrise du temps était considérée jusque-là comme l'un des atouts existentiels de la vie africaine, le roman de Venance Konan montre un changement radical dans la conception de cette entité. Se multiplient alors les occurrences qui traduisent la haine du temps : « *La belle vie, les belles femmes, l'argent, aller en France [...] Ils veulent ça, tout de suite.* » (p. 42). La société que dépeint l'œuvre fonde son existence sur le culte de l'argent : l'argent facile, l'argent rapide. Dès lors, le jeu, l'escroquerie et le banditisme remplacent l'effort et le travail. Les conséquences sont lourdes, dans la mesure où

---

* *Léontine Gueyes-Troh est née le 10 avril 1968 à Facobly, en Côte-d'Ivoire. Elle est assistante à l'université de Cocody-Abidjan. titulaire d'un doctorat en littérature générale et comparée obtenu à l'université de Paris XII en 2005. Sa thèse, intitulée « Approche psychocritique de l'œuvre littéraire d'Henri Lopes », a été dirigée par le professeur Papa Samba Diop.*

1. *Abidjan, Nouvelles éditions ivoiriennes, 2003.*
2. *Abidjan, Nouvelles éditions ivoiriennes, 2005.*

L'image d'un continent qui ne maîtrise pas son destin, celle d'un peuple *« aux horizons bouchés »*.

la quête de l'argent pousse à des pratiques ignobles et avilissantes. À cette peinture de la déconfiture générale s'adjoint le désarroi du peuple.

En outre, la Côte-d'Ivoire partage, avec d'autres régions africaines, un autre mal pernicieux : la haine ethnique. La haine est ancrée au fond de chaque citoyen. Le journaliste Cassy découvre avec effroi, lors d'un reportage au Liberia, les conséquences de ces querelles ethniques. Le Liberia est un pays ravagé par la guerre. La population est condamnée à la violence.

Le roman reflète, en somme, l'image d'un continent qui ne maîtrise pas son destin, celle d'un peuple « aux horizons bouchés ».

Venance Konan © Cultures Sud

Le désir de l'écrivain d'exorciser la haine par le rire.

Un humour caustique baigne la deuxième œuvre de Venance Konan, *Robert et les Catapila*. L'auteur revient longuement sur les thèmes déjà abordés dans le premier roman.

Le recueil rassemble des récits dans lesquels le rire est omniprésent. L'humour affleure à chaque page à travers les contradictions, les absurdités, les non-sens qui ont tout de même du sens… ou des glissements, ou encore des confusions.

Par le biais d'une allégorie, la première nouvelle, *Robert et les Catapila*, qui donne son titre au recueil, parle des conflits ethniques.

Le village de Robert voit arriver des étrangers aux traits physiques et moraux différents des siens. Les nouveaux venus sont des travailleurs acharnés, d'où leur nom, les « Catapila », « *altération de Caterpillar, ces engins américains qui déracinaient les arbres, même les plus gros et aplatissaient les montagnes.* » (p. 18). La richesse des « *Catapila* » suscite des jalousies. Il s'ensuit des hostilités encouragées secrètement pas des autorités politiques. La région devient le théâtre de conflits entre allogènes et autochtones.

Dans la nouvelle *Le Millionnaire*, l'auteur met en évidence la situation paradoxale du vieil imam, nageant dans ses propres contradictions. Le rire surgit du décalage entre la fonction du religieux et la dégénérescence des valeurs religieuses. Rire grinçant, évidemment, quand le vieil imam feint de brûler le ticket gagnant devant ses fidèles, danse le « Wawanco » devant les caméras de télévision, puis se dit : « *Le prophète… ne parlait pas de ce jeu dans la sourate.* » (p. 284).

D'une nouvelle à l'autre, la satire s'amplifie. Le choix de l'humour, comme l'un des procédés littéraires dominants de l'œuvre de Venance Konan, confirme une fois de plus le désir de l'écrivain d'exorciser la haine par le rire. En effet, le rire devient une catharsis, une arme qui combat la bêtise dans laquelle s'enfonce le peuple. Le rire amène à triompher des situations angoissantes, humiliantes ou révoltantes. L'absurde qui couvre désormais tous les actes de la vie apparaît dans les contradictions des autorités religieuses et politiques. Rire devient une revanche sur un quotidien qui échappe à l'honnête homme et semble servir la malhonnêteté.

Venance Konan prône, par le choix des thèmes et du discours, une guérison collective des blessures passées. C'est sûrement cet idéal qui lui a valu le Prix du meilleur journaliste de réconciliation nationale. Cet idéal fera également de Venance Konan, journaliste à la réputation déjà bien établie, un écrivain ivoirien qui marquera son temps.

Léontine GUEYES

Venance KONAN

Les prisonniers de la haine

Abidjan (Côte-d'Ivoire), NEI/Fraternité Matin, 2003, 200 p.

Les Prisonniers de la haine est le premier roman de Venance Konan, journaliste de profession. L'ouvrage relate l'histoire de Cassy, un journaliste, celle de ses amis et des personnages rencontrés lors des reportages. Comme dans une enquête, le narrateur collecte les témoignages, les confidences des personnages
Les deux premières parties sont consacrées au destin tragique des jeunes de Treichville, un quartier populaire d'Abidjan. Les filles y sont en quête de leur identité et refusent leurs conditions de vie. Vanessa vit l'homosexualité comme une libération. Akissi, après un séjour en France, choisit le retour aux valeurs africaines. Olga rêve d'une vie de mannequin. Un photographe français lui promet une carrière internationale. Mais la jeune femme connaît une déchéance fatale. Parvenue au comble de la misère physique et morale, Olga meurt « *broyée* » par un univers artistique sans pitié où règnent drogue, prostitution et sectes, et cela sans même avoir réalisé son rêve.
Les Prisonniers de la haine, c'est aussi l'histoire des jeunes gens déscolarisés, issus de familles polygames. L'avenir ne leur réserve qu'un statut de loubard. Pour y échapper, ils rêvent tous d'aller faire fortune en Europe.
Il y a aussi les « *enfants de la rue* » qui errent dans la ville en quête d'abri et de pitance. Proies faciles des pédophiles, ces adolescents ne cessent pas de subir des sévices sexuels.
Dans la troisième et dernière partie du roman, le récit s'attelle au destin tragique de l'Afrique en proie aux querelles ethniques et à la guerre. L'action a pour cadre le Liberia. Monrovia, la capitale, est dévastée par la guerre.
Les mêmes maux qui minent la société ivoirienne se retrouvent dans cet autre cadre. Ce voyage met également au jour le trafic florissant qu'institue la guerre pour les Occidentaux pendant que les Africains qui en sont complices et/ou acteurs s'exterminent.
À Monrovia, chacun veut raconter sa guerre au journaliste ivoirien. Les rebelles insistent sur leur désir d'instaurer la démocratie. Pour Alice, une ancienne combattante, la haine tribale est à l'origine de ces massacres. Chaque communauté refuse la réconciliation. Même ceux à qui s'offre la possibilité de partir de « *cet enfer* » opposent un refus catégorique. Tous sont prisonniers de leur haine.
Le narrateur impuissant rapporte avec tristesse : « – *Partons d'ici Alice. Viens avec moi à Abidjan, fuis cet enfer. [...] – Je ne peux pas partir. Je suis attachée à ce pays par ma haine personnelle. Je n'ai pas encore fini ma guerre. J'ai juré de tuer ceux qui ont tué ma mère et ma fille, et ceux qui m'ont violée.* » (p. 195).
En somme, *Les Prisonniers de la haine* met en scène le désespoir de la jeunesse désemparée et, particulièrement, de celle des quartiers de Treichville et de Zone 4. Personnages marginalisés, ces laissés-pour-compte sont en quête d'autonomie dans une société décadente. Mais cette quête de liberté et d'identité se solde, en général, par un échec, comme si aucune quête individuelle et hors des normes établies ne pouvait apporter une solution réelle.
Le roman pose également la question de la survie et du développement de l'Afrique. Comment sortir de ces « *marais de désespoir* » dans lequel est englué le continent africain ?
À travers le choix d'une langue limpide et accessible, d'un vocabulaire concret, le tout dans un style où cohabitent la satire et le lyrisme, l'auteur veut « *émouvoir et toucher* ».
« *La déchéance actuelle de l'Afrique n'est pas irréversible. Il suffit, pour renverser la tendance [...] que chacun fasse sa propre révolution* » (p. 98) », martèle Cassy.

Léontine GUEYES

Léonora Miano : un souffle nouveau

Papa Samba Diop

Léonora Miano est l'auteur de deux romans, *L'Intérieur de la nuit*[1] en 2005 et, en 2006, *Contours du jour qui vient*[2]. Les deux œuvres sont publiées à Paris chez Plon et ont pour décor central le Mboasu, dont les capitales économique et administrative sont Nasimapulu et Sombé.

Le Mboasu, à bien des égards identifiable au Cameroun, est un pays anciennement colonisé. Et les colons ont œuvré de manière telle que, même après l'indépendance, ce sont les « nordistes » qui ont continué à y détenir les pouvoirs les plus importants. Aussi, dans *L'Intérieur de la nuit*, voit-on défiler des groupes de jeunes garçons et filles désireux de réviser l'attribution des responsabilités nationales. À cette fin, ils s'engagent dans les « Forces du changement » pour réhabiliter les pactes interclaniques défaits par la période coloniale. Aussi vont-ils déchoir de leur piédestal certains chefs arbitrairement désignés par l'administration européenne. Celle-ci ayant rendu confuses les ramifications des ascendances prestigieuses, il est question pour ces bandes de faire retrouver à l'Afrique démantelée sa splendeur d'antan.

D'autre part, le drame des enfants sorciers, que Miano aborde de l'intérieur de la société camerounaise, est tout aussi aigu en Angola ou en République démocratique du Congo, où ces derniers sont accusés de tous les maux et, à ce titre, persécutés. Une organisation norvégienne, Save the Children, les défend et tente de faire comprendre aux familles que certains comportements irrationnels de ces prétendus « *mangeurs d'âmes* » sont « *dus à la guerre, au sida, ou à la mort des parents* », et que « *ces enfants ont également des droits*[3] ».

Les romans de Miano, dans le style puissant qui est celui de cet écrivain au regard affûté, entremêlent une réflexion constante sur l'histoire du Mboasu et la chronique sociale et culturelle. Parfois, dans un climat général de pénurie, où l'on vit d'expédients, ils révèlent, à travers les rues populeuses de banlieues plus ou moins nanties, de petits privilèges à l'origine de petites discriminations ou de comportements hautains, comme ceux des habitants de Losipotipè.

Dans ce milieu étriqué, où l'attachement à la cohésion de la tribu est si fort qu'il en devient aliénant, Ayané – qui a fait des études à Sombé et en France et, par ailleurs, porte des jeans et s'est mariée à Louis, un Français, dont elle divorcera – est d'autant plus ostracisée que sa mère provient d'un autre village. Sa mère, Aama, dont la rumeur dit qu'elle est une « sorcière », car son mari dort à la maison tous

---

1. *Paris, Plon, 2005.*
2. *Paris, Plon, 2006.*
3. *Cf.* Courrier International, *p. 37, n° 860 du 26 avril au 2 mai 2007.*

Léonora Miano © Cultures Sud

les soirs, contrairement à ce qui est de coutume : les hommes d'Eku sont volages, leurs vagabondages étant perçus comme un signe de virilité.

Avec ses routes défoncées, ses villages (Osikékabobé, Asumwè, Dibiyé) désolés par d'incessantes razzias, ses villes où se terre une population apeurée, ses personnages déboussolés dans leur vie intime comme dans leur espace vital – Wengisamé, qui ne sait comment élever ses nombreux enfants ; Inoni qui a tué son mari ; Epupa, une étudiante devenue folle au point d'arpenter les rues nue – ; l'on pourrait penser que l'univers romanesque de Léonora Miano est celui d'une Afrique postcoloniale non encore assurée sur ses pas vers un nécessaire équilibre social, politique et culturel.

Des hymnes à la renaissance d'un continent.

Et pourtant, au-delà des voyantes aux sombres prédictions, des mères indignes faisant souffrir le martyre à leur progéniture, de leurs personnages féminins rêvant de la France comme d'une terre promise et en dépit de la misère extrême qui musèle les habitants de quartiers sordides tels qu'Embényolo, les romans de Léonora Miano peuvent s'écouter comme des hymnes à la renaissance d'un continent, l'Afrique, symbolisée par le Mboasu.

« *The winds of change are blowing* » est la phrase mise en exergue de cette écriture d'une telle densité que les frontières entre le conte et la légende, la satire et le précis d'anthropologie, ou encore le récit philosophique et le traité de sociologie en sont devenues vaporeuses.

Les comparses européens qui y évoluent – Aïda, une Française qui dirige une association chargée de recueillir les enfants sorciers, Louis, le mari d'Ayané, etc. –, et dont certains se recrutent parfois dans les rangs des congrégations religieuses ou des sectes, agissent en arrière-plan d'une société africaine en mal de réformes radicales. Son avenir, tel que la romancière l'entrevoit, est annoncé par la grand-mère Mbambé qui, s'adressant à ses petits-enfants en qui elle voit une assemblée représentative de tout le Mboasu, termine un conte par ces mots : « *Ce que vous êtes ce n'est pas seulement ce qui s'est passé, mais ce que vous ferez.* »

Œuvre littéraire d'emblée inscrite dans la durée par sa charge de réalisme, de rêves et d'illusions, celle de Léonora Miano, Camerounaise née à Douala en 1973 et vivant en France depuis 1991, est emplie d'une foi inébranlable en l'avenir prospère d'un pays, le Mboasu. Et, au-delà, en celui de tout un continent. Le cœur ardent, elle « *étreint puissamment les contours du jour qui vient* ».

Papa Samba DIOP

Léonora MIANO
Contours du jour qui vient
Paris, Plon, 2006, 275 p.
18 €

Dans un contexte social « *où le désespoir a usurpé le nom de foi* », voyant ainsi se multiplier les « *Églises d'éveil* », l'histoire de ce roman est celle d'une jeune fille, Musango, orpheline de père, que sa mère, conseillée par une voyante nommée Sésé, n'a cessé de martyriser. Pour finir, elle la jettera à la rue, sous prétexte qu'elle est une enfant-sorcière[1]. C'est alors – au marché de Sombé (probablement la ville de Douala), où elle passe ses nuits en compagnie d'autres enfants abandonnés pour les mêmes raisons – qu'elle est recueillie par Ayané et amenée dans un centre d'hébergement. Personnage déjà rencontré dans *L'Intérieur de la nuit*, Ayané est une fille rebelle, émancipée des contraintes sociales ou matrimoniales.

La guerre ayant ravagé les campagnes, Sombé est surpeuplée à cause d'un exode massif et est la cible de fréquentes attaques de rebelles. La ville a ses beaux quartiers, mais aussi des parties honteuses telles que Embényolo : le territoire mal famé d'où vient la mère de la narratrice, qui y vivait avec onze autres sœurs.

Musango, qui rapporte toute l'histoire, sera séquestrée par des miliciens pendant trois ans et verra comment, dans ce pays déstructuré « *où les enfants des quartiers révisent leurs leçons sous les lampadaires* », s'organisent toutes sortes de trafics, dont celui de jeunes filles que l'on envoie à des proxénètes vivant en Europe. Les hommes de loi qui tentent de s'opposer à ces activités illicites, le commissaire Djanéa par exemple, sont assez vite démis de leurs fonctions, quand ils ne sont pas tout simplement assassinés.

Dans certaines familles, on contraint les filles à épouser des hommes riches, c'est le cas de la première femme du père de Musango. Sa famille, vénale, avait vu dans son mariage une occasion de faire fortune. Seule l'épouse s'y était opposée. Elle finira d'ailleurs par demander le divorce, préférant aller vivre en Guyane avec un artiste. Le père avait eu de ce premier mariage plusieurs enfants, tous « *normaux* » et par normalité, on entend, à Sombé, des enfants dont la venue au monde n'a correspondu à aucune infortune dans la vie des parents. Des enfants qui ne sont pas des « *mangeurs d'âmes* », comme Musango, la vieille homonyme de la narratrice, qui, parce que son mari et ses trois fils sont morts de manière prématurée, a elle aussi été accusée de les avoir « *mangés* ».

Contours du jour qui vient dénonce par ailleurs le désordre et la dangereuse incurie qui règnent dans le pays : la prostitution galopante, les organismes étatiques qui ne paient pas leurs employés, les rivalités sacerdotales entre l'islam et la chrétienté, perceptibles dans la vigueur des haut-parleurs de certaines congrégations tentant de couvrir la voix des muezzins.

L'intrigue du livre consiste en une quête/enquête de la narratrice menant à un tête-à-tête et à une vraie explication entre la mère, Ewenji, et la fille, Musango. Ce qui implique des séjours en des lieux aussi divers que mystérieux : grottes, temples, quartiers sordides ou cimetières. Par ailleurs, parmi le grand nombre de personnages, se distinguent : la grand-mère, Rachel, que tout le monde appelle Mbambè ; Mama et Papa Bosangui, qui au sein de « la Porte ouverte du paradis », une Église d'éveil, travaillent à « *montrer à leurs fidèles le chemin de la vérité* » ; la tante Epéti, qui indiquera à Musango le lieu que fréquente sa mère (Ewenji), à savoir « l'Église de la parole libératrice » ; Kiwin, une mécréante, ramassée dans une ravine ; Mbalè, qui rêve d'aller en Europe et aura à s'interposer entre les deux femmes, lorsque Musango aura retrouvé sa mère dans le cimetière où repose le père, pour éviter que la mère ne moleste la fille.

La première tient une pelle et cherche à extraire le père de son tombeau en marbre, afin qu'il lui « *rende la vie qu'il lui a volée* ».

Le roman se clôt par cette phrase : « *C'est le cœur ardent que j'étreins puissamment les contours du jour qui vient.* »

Papa Samba DIOP

1. Cf. « *Les enfants sorciers passent les frontières* », Courrier International, *n° 860, du 26 avril au 2 mai 2007, p. 37.*

Du fragment à la mosaïque : l'écriture de Mamadou Mahmoud N'Dongo

Marine Piriou*

Écrivain et cinéaste, Mamadou Mahmoud N'Dongo est né à Pikine, au Sénégal, en 1970. De par sa formation en histoire de l'art, littérature et cinéma, il est devenu en quelques années l'un des représentants les plus en vue de la nouvelle génération d'écrivains francophones d'Afrique subsaharienne. En effet, l'originalité de la forme fragmentaire de son écriture lui a valu les éloges de la critique dès la publication de ses premiers recueils, *L'histoire du fauteuil qui s'amouracha d'une âme*[1] en 1997 et *L'Errance de Sidiki Bâ*[2] en 1999. Son roman *Bridge Road*[3] fut également fort remarqué à sa sortie en 2006, au point d'être actuellement en cours d'adaptation pour le septième art.

Le succès de l'œuvre mosaïque de N'Dongo réside avant tout dans sa liberté de plume, qui échappe au carcan de la nouvelle ou du roman traditionnels. Lecteur de Jorge Luis Borges et de Bruno Gay-Lussac, l'auteur compose ses livres tels des *patchworks*, entrelaçant une multitude de lambeaux issus à la fois du plus profond de son imaginaire et de sa mémoire. Cette écriture énigmatique, voire elliptique, rappelle d'ailleurs celle du romancier algérien Kateb Yacine, dont les textes engagés et la structure révolutionnaire ont inauguré la littérature algérienne moderne de langue française au début des années 1950. À l'instar de cette figure légendaire des lettres francophones du Maghreb, N'Dongo semble également faire partie de ces avant-gardistes qui n'hésitent pas à déconstruire la forme de leur récit jusqu'à se détacher totalement du modèle classique. Dans son univers fantasmagorique, toute histoire en chasse continuellement une autre. Par exemple, la succession effrénée des nouvelles que délivre *L'histoire du fauteuil qui s'amouracha d'une âme* ressemble au balayage incessant des vagues sur le rivage. Il n'est alors pas surprenant que l'auteur en ait intitulé une « *Ressac* », tant son récit lui-même est constitué selon une ondulation narrative chaotique dont les mouvements épousent ceux d'une houle chiffrée qui peut déstabiliser un temps soit peu le lecteur non-initié. Mais cet étonnement premier se transmue rapidement en admiration, au vu du degré de modernité non seulement structurelle mais aussi essentielle que contient l'œuvre de N'Dongo dans son ensemble.

---

* *Marine Piriou est actuellement doctorante en littératures francophones à l'université de Paris IV-Sorbonne. Membre de l'Association des Chercheurs en Littératures Francophones (ACLF), elle collabore parallèlement avec la Mission Interuniversitaire de Coordination des Échanges Franco-Américains (MICEFA.) et enseigne à l'université Paris III-Sorbonne Nouvelle les littératures francophones auprès d'étudiants américains de niveaux « licence » et « maîtrise ».*

1. *Mamadou Mahmoud N'Dongo,* L'Histoire du fauteuil qui s'amouracha d'une âme, *Paris, Éditions L'Harmattan, 1997, (coll. « Encres Noires »).*
2. L'Errance de Sidiki Bâ, *Paris, Éditions L'Harmattan, (coll. « Encres Noires »), 1999.*
3. Bridge Road, *Paris, Le Serpent à Plumes, 2006.*

La violence, le devoir de mémoire et l'introspection désignent les *topoï* principaux des textes de N'Dongo.

L'écrivain transforme ce recueil en métier à tisser biographique.

La forme fragmentaire de ses écrits lui permet d'autre part de faire corps avec la réalité de notre monde contemporain et de son histoire, comme en témoigne son second livre *L'Errance de Sidiki Bâ*. Là encore, l'écrivain joue avec le lecteur, qu'il submerge sous des « *strates*[4] » mémorielles dont la confusion et le désordre tendent vraisemblablement à le désorienter dès l'incipit du carnet. En déstructurant la linéarité chronologique, l'auteur invite ainsi le lecteur au voyage, à l'errance comme l'indique le titre du recueil, à travers les méandres de la mémoire du narrateur en quête de soi. *L'Errance de Sidiki Bâ* dévoile donc une palette de souvenirs incertains, souvent sombres, douloureux, parfois horribles, que N'Dongo numérote et transcrit sur la page blanche suivant un ordre quasi aléatoire, à l'image même de la réminiscence mémorielle. L'écrivain transforme en quelque sorte ce recueil en métier à tisser biographique, reconstituant l'existence passée d'un survivant ayant réchappé au choc originel d'une guerre sans nom. Cet anonymat traduit d'ailleurs l'indicibilité de l'horreur vécue, dont le refoulement partiel s'exprime tout au long du texte par des silences elliptiques. N'Dongo y développe ainsi jusqu'à son paroxysme la forme fragmentaire qu'il avait déjà esquissée dans son précédent recueil, *L'Histoire du fauteuil qui s'amouracha d'une âme*. En somme, tel un peintre impressionniste, l'auteur enrichit son œuvre initiale d'une nouvelle toile composée de touches successives, à la fois poétiques et bouleversantes, qui mises en relation entrent en dialogue les unes avec les autres pour dévoiler un portrait, celui d'un Moi rescapé de l'Enfer, à la recherche de son identité, de son histoire refoulée depuis le traumatisme primitif.

Par conséquent, la violence, le devoir de mémoire et l'introspection sont des *topoï* des textes de N'Dongo. À ceux-ci s'ajoute le thème du racisme, que l'écrivain développe particulièrement dans son roman *Bridge Road* qu'il publiera après six longues années de travail. Ce dernier, inspiré ouvertement du film documentaire de Chantal Akerman intitulé *Sud*[5], constitue en fait l'œuvre matricielle de ses écrits, car non seulement ce livre travaille les sujets précédemment stipulés, mais repose aussi sur une structure encore une fois stratifiée : du désespoir d'une mystérieuse femme ayant perdu son époux dans des circonstances troubles. Le lecteur découvre sans transition et avec effroi l'histoire douloureuse de la population africaine-américaine, victime de nombreux lynchages sous la ségrégation notamment, ainsi que les crimes et actes de torture commis en Amérique latine au XXe siècle. Cet enchevêtrement narratif apparemment dénué de fil conducteur

---

4. L'Errance de Sidiki Bâ, *p. 111.*
5. Chantal Akerman, Sud, *France-Belgique, Production AMIP/Paradise Films/Chemah I.S., 1999.*

Mamadou Mahmoud N'Dongo © Moussa Soumaré/Le Serpent à Plumes

– fil en réalité incarné par le narrateur-personnage – représente pourtant la filiation de la haine à l'échelle universelle.

La démarche d'écriture de Mamadou Mahmoud N'Dongo est ainsi celle d'un homme sensible, scrutant le monde contemporain dans ses moindres détails, s'interrogeant sur les causes historiques et fondatrices de la réalité actuelle, pour pouvoir enfin analyser leurs conséquences sur l'individu en tant que sujet ambivalent, à la fois conscient et inconscient de ses origines, de son essence. Lire son œuvre s'apparente donc à une investigation au cœur même de notre passé, de ce « *souvenir commun, que chacun chercherait à restituer de la façon la plus précise*[6] », pour tenter de comprendre le réel dans lequel nous évoluons ainsi que notre propre germination identitaire et imaginaire.

Marine PIRIOU

6. L'Errance de Sidiki Bâ, *p. 111.*

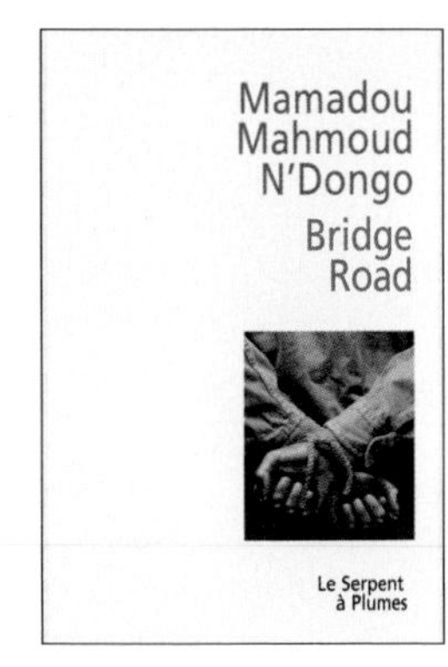

Mamadou Mahmoud N'DONGO
Bridge Road
Paris, Le Serpent à Plumes, 2006, 168 p. (coll. « Fiction française »)
17,90 €

Bridge Road, le premier roman de Mamadou Mahmoud N'Dongo, rassemble en son sein, telle une matrice, tous les éléments originaux participant à l'articulation d'une écriture extraordinaire car fragmentaire. Ce livre kaléidoscopique entrelace en effet diverses histoires, apparemment indépendantes les unes des autres et pourtant convergentes : celle tout d'abord d'Élodie Laudet, jeune femme traumatisée par le mystérieux suicide de son époux à Paris, celle ensuite de Clarence Brown, froidement lynché sur une route de Bridge Road à cause de sa couleur de peau, celle aussi d'Alan Norton, photographe africain-américain parti à la recherche de ses racines, ou encore celle du narrateur-personnage transformant son enquête sur la disparition de Norton en véritable quête de soi. En somme, ce roman ressemble à un palimpseste qui, strate après strate, dévoile progressivement les fondations historiques de la sombre réalité de notre temps présent. En peignant la généalogie de la violence et de la haine raciale qui a tragiquement marqué à coups de pogroms et de torture le Nouveau Continent, l'auteur tend à éveiller l'esprit critique du lecteur vis-à-vis du passé et de ses conséquences sur le monde contemporain. Pour ce faire, N'Dongo le plonge donc dans un univers disloqué où se succèdent frénétiquement de multiples fragments de vie, de témoignages enregistrés, répétés, puis interprétés par le narrateur anonyme. Une immersion totale au cœur de cette mosaïque composée de bribes existentielles et mémorielles permet en effet au lecteur de reconstruire chacune des micro-histoires non seulement enchevêtrées dans le roman, mais aussi constitutives de la macro-histoire universelle.

De cette façon, il prend conscience de la nécessité de comprendre le passé pour appréhender, d'une part, la réalité de son époque et, d'autre part, sa véritable essence, via la découverte du refoulé inconscient.

Par conséquent, N'Dongo investit son œuvre d'un double devoir de mémoire et de transmission d'un héritage historique. Mais cette médiation ne peut se réaliser que par le biais d'une oralité transcrite. C'est pourquoi *Bridge Road* s'articule principalement autour d'un schéma dialogique plaçant le narrateur soit en interaction verbale avec un personnage secondaire comme Élodie Laudet, soit en position d'écoute et d'interprétation d'une série d'enregistrements vocaux.

Cependant, une telle entreprise à la fois littéraire et humaniste ne saurait aboutir sans un incroyable travail sur la langue. En effet, à travers les dialogues et les nombreuses retranscriptions de témoignages, l'auteur offre au lecteur un formidable panel de styles syntaxiques différents, métissage vocal si affûté qu'il lui donne l'illusion d'entendre la singularité orale de chacun des protagonistes en question.

Du jargon populaire et de l'économie lexicale propres aux discours de Simon Harper ou de Robert Dawson, on passe par exemple au verbe relativement soutenu et à la digression narrative de Bonnie Porter.

Au bout du compte, ce fabuleux travail tant linguistique qu'esthétique contient en lui-même toute la substance de l'œuvre fragmentaire de l'auteur. En un mot, N'Dongo signe ici un chef-d'œuvre d'ingéniosité artistique qui renouvelle incontestablement le genre romanesque traditionnel. En redonnant à l'oralité ses lettres de noblesse, l'écrivain se fait donc dépositaire d'une parole interculturelle, au carrefour des peuples et des hémisphères.

Marine PIRIOU

Patrice Nganang, le « *crieur des villes* »

Daniel Delas*

À 37 ans, Patrice Nganang, qui est né à Yaoundé en 1970, n'est plus un jeune espoir de la littérature africaine francophone, il est devenu une des figures les plus marquantes de la nouvelle génération, celle d'écrivains qui, nés après les indépendances, n'ont pas partagé les mythes des pionniers de la négritude ni les désillusions amères de la génération des « *soleils des indépendances* » – celles de Kourouma ou de Monénembo. Ce qu'a connu leur génération, c'est le génocide du Rwanda, l'implosion du Zaïre, les guerres civiles du Congo, les enfants-soldats du Liberia ou du Sierra-Leone ou le nationalisme meurtrier engendré par l'ivoirité.

Le Cameroun semble en paix et le président Biya a été réélu triomphalement en 2006, mais les Bamiléké comme Nganang ont payé un lourd tribut à l'unité. Accusés d'indépendantisme et de communisme, les leaders de l'UPC ont été pourchassés et éliminés l'un après l'autre et, de pogroms en opérations génocidaires, le peuple bamiléké a fait l'objet à l'époque coloniale puis sous la dictature d'Ahmadou Ahidjo d'une terrible répression, qui ne s'est pas arrêtée par l'arrivée surprise au pouvoir de Paul Biya.

Nganang s'en est sorti, par chance, puisque après des études en Allemagne, une thèse (sur le théâtre) soutenue à Francfort, il enseigne aujourd'hui la littérature (comparée et francophone) aux États-Unis. De sorte qu'à la fois il vit coupé de son pays et est peu présent sur la scène médiatique francophone. L'auteur a certes été reconnu par deux prix francophones importants qui ont lancé sa notoriété : en 2001, le prix Marguerite Yourcenar, qui couronne les écrivains francophones vivant aux États-Unis, et, en 2002, le Grand prix littéraire de l'Afrique Noire, qui promeut les écrivains francophones de l'Afrique noire. Pour lui, qui s'accepte francographe sans état d'âme, on peut écrire « *sans la France* », c'est-à-dire en pensant que l'urgence est de dire comment les gens ordinaires vivent, tant bien que mal, leur vie dans les villes d'Afrique aujourd'hui. Peu importe la langue, au Cameroun, pays multilingue (270 langues recensées), la langue française est véhiculaire, on l'entend dans les rues et dans les quartiers, déformée, « *métissée* » comme disent les intellectuels ou les journalistes, « *appropriée ou créolisée* » comme disent les linguistes, peu importe le terme, elle sert aux gens à vivre, ou plutôt à survivre. C'est à ce français que recourent les romans de Nganang, souvent associé au *pidgin-english* très vivace au Cameroun.

* *Professeur émérite de l'université de Cergy-Pontoise et président de l'Association pour l'étude des littératures africaines (APELA), Daniel Delas a consacré une partie de ses recherches aux écrivains de la négritude, antillais comme africains (Aimé Césaire, Léon-Gontran Damas, Senghor et Tchicaya U Tam'Si). Il a très récemment publié* Léopold Sédar Senghor, le maître de la langue, *Croissy-Beaubourg, éditions Aden, 2006 (coll. « Le cercle des poètes disparus »).*

Le principal personnage de cette chronique est la rumeur, le *congossa.*

Nganang a accédé à la notoriété par la parution de *Temps de Chien*[1], en 2001, qu'il a ensuite présenté comme le second volet d'un triptyque, *Histoire des sous-quartiers*, dont le premier volet était *La Promesse des fleurs*[2], paru en 1997, et le troisième *La Joie de vivre*[3], paru en 2003. Il a ensuite publié des « *contes citadins* » sous le titre *L'Invention du beau regard*[4], en 2005, qui sont des fragments qui n'ont pu trouver place dans la trilogie. Nous nous centrerons dans cette présentation sur le deuxième et le troisième volet dudit triptyque, que le lecteur peut trouver facilement en librairie.

Temps de chien a pour narrateur un chien philosophe, Mboudjak, qui partage les heurs et les malheurs de la vie de son maître Massa Yo, tenancier du bar *Le Client est roi*, dans le sous-quartier « Madagascar » de Yaoundé. Il n'y a aucun fil narratif, c'est une chronique du temps qui passe, au gré de conversations décousues (et alcoolisées !) qui permettent de mesurer les égoïsmes, les lâchetés, le machisme et la crédulité des clients du bar. D'ailleurs, ils se défileront tous lorsqu'un client, dans lequel on voit se dessiner la figure de l'intellectuel opposant, refusera de plier devant l'arbitraire d'un commissaire de police. À dire vrai, le principal personnage de cette chronique est la rumeur, le *congossa* : « *Les commentaires du quotidien sont l'ivresse qui chaque jour aide les habitants de Madagascar à noyer leur misère têtue dans la mégalomanie. En fait l'ambiance des sous-quartiers n'a d'égale que leur impuissance.* » (p. 281). Peu d'optimisme donc dans cette évocation du petit peuple, et pourtant comme une attente de « *l'explosion des goudrons* », du « *cyclone des rues* », et de « *l'ultime marche* » (p. 296) – « *Ô convainquez-moi donc que ce ne sera pas illusion !* ». La réussite de *Temps de chien* est d'abord dans la drôlerie des situations, dans la verdeur de la parlure quotidienne et dans le tourbillonnement des langues entre lesquelles naviguent les habitants des sous-quartiers, mais aussi dans l'art d'évoquer sans pathos la violente impatience d'accéder à une parole vraie qui vit au cœur des opprimés.

La Joie de vivre ajoute une dimension historique en nous faisant vivre les tribulations d'une famille bamiléké – le père, la mère, les deux jumeaux et la fille, qui est aussi la narratrice – de 1955 à 1982. Les deux premières parties relatent la répression génocidaire dans le Grasfield, puis, la famille ayant émigré à Douala, la vie quotidienne dans le sous-quartier de New Bell durant les dix années qui voient la

---

1. *Paris, Le Serpent à Plumes, 2001 (coll. « Fiction française ») ; rééd. coll. « Motifs » en 2003, chez le même éditeur.*
2. *Paris, L'Harmattan, 1997 (coll. « Encres noires »).*
3. *Paris, Le Serpent à Plumes, 2003 (coll. « Fiction française »).*
4. *Paris, Gallimard, 2005 (coll. « Continents noirs »).*

Les mille et un échanges de la vie quotidienne qui réfractent le cours des événements politiques pour en faire une étrange bouillie.

consolidation de l'État unitaire dictatorial d'Ahmadou Ahidjo. Le troisième temps sera vécu à Yaoundé, dans le quartier haoussa de la Briqueterie, où tout le monde sera plongé dans la stupéfaction le 4 novembre 1982 par l'annonce de la démission inexplicable d'Ahidjo. Ce résumé permet de rendre compte de l'ambition du roman, mais n'en donne que le squelette. Sa force, sa chair, son suc, si l'on peut dire, sont, comme dans *Temps de chien*, dans les mille et un échanges de la vie quotidienne qui réfractent le cours des événements politiques pour en faire une étrange bouillie.

Impossible de raconter les épisodes burlesques ou tragiques de ce récit picaresque d'un nouveau genre, il faut lire ces pages tour à tour graves et farfelues et se laisser emporter dans les rebonds de l'histoire du Cameroun, vécus de plain-pied avec ceux qui en sont les acteurs héroïques et dérisoires.

Daniel DELAS

Patrice Nganang

Patrice NGANANG
Le principe dissident
Yaoundé, Éditions Interlignes, 2005, 50 p.

Cette mince plaquette contient deux essais de l'écrivain camerounais Patrice Nganang, *Le principe dissident* et *La République invisible*, l'un et l'autre vibrants de la force d'écriture d'une pensée révulsée et angoissée par le spectacle des temps que nous vivons, partout dans le monde mais singulièrement en Afrique.
Le second des deux essais est le plus littéraire puisqu'il revient sur une question souvent débattue : pour qui écrit l'écrivain africain ? Surtout pas pour la critique dite africaniste, répond Patrice Nganang, car celle-ci est coupée de la réalité africaine vivante et reste prisonnière d'un imaginaire simpliste qui se contente d'opposer vision misérabiliste et vision idyllique. Pour qui donc ? Pour les gens ordinaires « *parce qu'il est important que leur art de la survie soit documenté dans les archives de la mémoire* » (p. 44), pour cette « *République invisible* » des gens du silence. Sans espérer influer sur le cours de l'histoire, car la plupart des dirigeants africains ne lisent pas, mais en sachant qu'il est lui, en tant qu'écrivain, une voix et que cette voix doit se faire entendre, comme en eurent conscience en leur temps et dans leur situation propre Aimé Césaire, Mongo Beti, Wole Soyinka ou Sony Labou Tansi (qui n'est pas cité mais dont le prophétisme rejoint celui de Patrice Nganang).
Le premier essai, qui donne son titre au recueil, est plus politique et non moins véhément, inspiré qu'il est par la pensée de Wolfgang Sofsky, sociologue allemand trop peu connu en France, auteur d'un *Traité de la violence* qui annonce et analyse la montée de la barbarie dans le monde. Le Cameroun de Paul Biya semble en paix, mais en réalité « *nous vivons à la lisière du cauchemar* » (p. 19), car les guerres génocidaires ou les tueries incontrôlées qui ont ravagé le Zaïre, le Congo, la Côte-d'Ivoire et bien d'autres pays peuvent se déclencher au Cameroun très soudainement. L'écrivain camerounais ne peut pas dans ces conditions être seulement « *le scribe de notre lente descente aux enfers* » (p. 25), il a l'obligation de faire sien « l'espace des incertitudes » (ibid.) pour empêcher que les forces du chaos ne l'envahissent, pour en faire un « *espace de civilité républicain* » (p. 28) où puisse s'exprimer « *la grande colère silencieuse qui court dans nos rues* » (p. 27).
Ce qui implique d'être pour l'écrivain africain non pas un griot, comme le répète l'africaniste complaisant, mais un « *crieur des villes* » (p. 35), « *un colporteur de parole* » (*ibid.*), un « *homme à la bouche ouverte sur cela même qui est notre éternelle colère devant le statu quo de notre présent, et qui donc invente dans notre futur la paix* » (*ibid.*).
Ce devoir de dissidence est le principe éthique qui seul peut fonder la dignité de l'écrivain aujourd'hui.
Aucun modernisme esthétique et aucune théorisation postcoloniale ne doivent oublier l'acte héroïque de celui qui aujourd'hui achète et lit un livre en Afrique. Car pour lui, le livre est un « *élixir de survie tout comme une transcendance de la barbarie* » (p. 45). Tout écrivain a un devoir à l'égard de cet héroïque citoyen africain anonyme.
Patrice Nganang, un crieur de l'urgence qui se bat pour une authentique république de l'imagination.

Daniel DELAS

Nimrod, un Africain malade du soleil

Bruno Doucey*

À première vue, Nimrod est un homme du Sud. D'une part, parce qu'il est né au Tchad, dans une région située entre le Sahel et les vastes forêts de l'Afrique équatoriale ; de l'autre, parce que son œuvre s'enracine dans les terres ancestrales du continent noir. De livre en livre, l'auteur de *Pierre, poussière*[1] n'a d'ailleurs jamais cessé de faire allégeance à la voix qui a su fonder et légitimer une esthétique négro-africaine : celle de Léopold Sédar Senghor[2].

Qui le connaît un peu sait que Nimrod est aussi, paradoxalement, un homme du Nord, voué au rythme des saisons, aux printemps gorgés de sève, aux brumes automnales. Pour un Blanc que les régions subsahariennes aimantent, il y a quelque incongruité à entendre un Africain dire qu'il redoute la chaleur et le soleil, les lumières trop éclatantes et les terres fauves du désert. Tel est pourtant Nimrod Bena Djangrang, né en 1959 à Koyom, dans le pays de Kim, aujourd'hui installé en France, à deux pas d'un estuaire où les teintes grisées du ciel se mêlent à celles de la mer.

L'œuvre romanesque de Nimrod donne corps aux incessantes déclinaisons de ce paradoxe. *Les Jambes d'Alice*, premier roman paru aux éditions Actes Sud en 2001, nous entraîne aux portes de N'Djamena, dans une région en proie à la guerre civile ; mais le narrateur du récit, jeune professeur de français épris d'une de ses élèves, compare le pays de Kim aux contrées de l'Europe septentrionale où s'est jadis déployée la pensée de Luther : « *La terre est ici une sorte de Hollande tropicale : elle reflète dans le ciel le partage des eaux. Il y a dans chaque Kimois une sorte de miroir qui réfléchit l'onde et le ciel selon que l'on est en saison sèche ou humide. L'azur est notre breuvage, le firmament l'espace de nos croisades, le fleuve le baptême de notre élection, car la réforme luthérienne a fait de nous le plus peuple élu.*[3] »

Un second roman, intitulé *Le Départ*[4], éclaire l'un des pans de ce paradoxe : comme son personnage, Nimrod a passé son enfance au Tchad, dans la proximité heureuse des jeunes filles nubiles. Il a descendu le fleuve Logone en pirogue, s'est amusé de la respiration bruyante des hippopotames, s'est émerveillé de la présence

---

* *Né en 1961, Bruno Doucey partage son temps entre l'édition et l'écriture personnelle. Directeur des éditions Seghers, il est l'auteur de nombreux ouvrages – essais, récits, anthologies, recueils poétiques –, parmi lesquels* Le Livre des déserts *(Paris, Robert Laffont, 2006, coll. « Bouquins »),* Poèmes au secret *(Le Nouvel Athanor, 2006) et* Le Prof et le poète *(Entrelacs, 2007).*

1. *Nimrod,* Pierre, poussière, *Sens (Yonne), Obsidiane, 1989, (coll. « Vocation »).*

2. *On se reportera aux deux ouvrages que Nimrod a d'ores et déjà consacrés à Léopold Sédar Senghor :* Tombeau de Léopold Sédar, *Cognac, Le Temps qu'il fait, 2003 ;* Léopold Sédar Senghor *(avec Armand Guibert), Paris, Seghers, 2006, (coll. « Poètes d'aujourd'hui »).*

3. *Nimrod,* Les Jambes d'Alice, *Arles, Actes Sud, 2005, p. 73.*

4. *Nimrod,* Le Départ, *Arles, Actes Sud, 2005.*

Nimrod © Philippe Matsas/Opale

des oiseaux migrateurs – flamants roses, pélicans en bandes, marabouts, grues couronnées, hérons blancs ou cendrés – qui longent les rivages pour atteindre l'été. Mais le jeune Africain qui marche pieds nus dans la savane et tutoie les horizons bleutés est aussi le fils d'un pasteur protestant entièrement dévoué au peuple de Dieu. La Bible sera le premier livre de Nimrod. Suivront bientôt, aux côtés de Camara Laye, les œuvres de Victor Hugo, de Lamartine ou de Pascal. Élevé à l'école occidentale, l'enfant noir devient, selon l'expression de Léopold Sédar Senghor, un « *métis culturel* », cet être de *l'entre-deux* qui se voit contraint de métisser ses lectures, ses apprentissages de la vie et ses expériences érotiques. En tout domaine, l'homme attiré par le Nord qu'est Nimrod s'est attaché à ne jamais perdre le sud.

Sa poésie témoigne de cette bipolarité contrariée. *Pierre, poussière*, publié aux éditions Obsidiane en 1989, fait allusion aux terres incandescentes qui occupent une part importante du territoire tchadien. Le poète évoque l'harmattan, vent

Le poète a délibérément choisi de tourner le dos aux déserts, d'échapper à la vacuité de l'espace.

Comme le désir de l'autre est lié à la perte, l'Afrique heureuse naît avec le départ.

chaud et sec venu des déserts de l'est, aux confins de l'Éthiopie et du Soudan. Il s'attache à l'austérité des plaines, aux terres salines, à la « *poussière bédouine* » où « *le désert couve un feu profond* ». La section du recueil intitulée « Erratiques » s'ouvre même sur un long poème consacré aux montagnes du Tibesti, dont l'« *extravagance géographique* » (on songe au piton volcanique de l'Émi-Koussi évoqué dans la dernière strophe) dessine les frontières du pays toubou. Le désert de Nimrod est celui d'un être qui a connu, à la fin des années 1970, la « *pointe extrême de la décade des grandes sécheresses au Sahel* ». À l'enfance vécue sur une terre « *verte, arrosée* » succède la terre d'une adolescence « *sèche, fauve* » qui fera naître en lui, Africain malade du soleil, une véritable phobie de la chaleur et de la lumière. Aussi le poète a-t-il délibérément choisi de tourner le dos aux déserts, d'échapper à la vacuité de l'espace : « *Du pays de la soif, je ne voulais pas, et n'en veux toujours pas. Toutefois, je lui dois mon tempérament* », dira-t-il en juin 2003, dans un texte qui servira de préface à la réédition de *Pierre, poussière*[5].

Ce refus des terres arides est la sève qui alimente l'imaginaire végétal du poète. Ici, des herbes folles et des lianes font oublier la desquamation des sols ; là, des jardins fleurissent qui raniment en nous « *un espoir insensé* ». L'arbre occupe une place prépondérante dans cette géographie onirique. Ni baobab ni jujubier, à peine l'acacia. Dans Passage à l'infini, second recueil publié en 1999[6], Nimrod leur préfère ouvertement les peupliers et les bouleaux. Bras tendus le long du corps, silhouettes en sentinelle, les premiers orchestrent des rendez-vous dans le ciel comme l'herbe gouverne la rosée. Les seconds, sur lesquels s'ouvre le recueil, caressent « *des appels* », « *égrènent [des] arpèges* », tandis que « *le fin mot de leur sève/ Convoie la syllabe d'une feuille naissante* ».

A-t-on remarqué que les peaux blanches de leur tronc se détachent comme les pages d'un livre ? La peau… Sous la plume de Nimrod, cette dernière est moins le signe d'une appartenance ethnique que le territoire, proche et lointain, qu'un contact entre les êtres. Sous la main qui caresse et la main qui retient, dans la poussière du désir infiniment usé, roule le tambour de notre solitude. Celle qui fait de nous des êtres inexorablement voués à l'exil. Comme le désir de l'autre est lié à la perte, l'Afrique heureuse naît avec le départ.

Bruno DOUCEY

5. *« La nostalgie, le désir »,* En Saison, *suivi de* Pierre, poussière, *Sens (Yonne), Obsidiane, 2004, p. 82 (coll. « les Solitudes »).*
6. *Sens, Obsidiane, 1999 (coll. « les Solitudes »).*

Nimrod

En Saison *suivi de* Pierre, poussière

Obsidiane, 2004, 141 p.

16 €

Le soixante-troisième volume de la collection « Les Solitudes » des éditions Obsidiane comporte deux recueils distincts : *En Saison*, constitué de poèmes récents, et *Pierre, poussière*, prix de la Vocation, dont la première version fut publiée en 1989.
Dans la préface de ce second recueil, le poète évoque à la fois la genèse de son travail poétique et les étapes d'un itinéraire personnel : « *Les livres écrits au cours de l'adolescence sont ainsi faits que nous ne nous en remettons jamais. Nous voulons les renier, ils résistent ; les occulter, ils s'insurgent.* » Dix ans après la publication de son premier recueil, le poète remet l'ouvrage sur le métier. Son objectif ? Dompter les mots qui lui semblent « *mal équarris* », réduire les dissonances, parvenir « *à une meilleure intuition des harmoniques* ». Nulle concession à l'esthétisme dans ce remaniement, mais un désir de réenchanter son propre texte, une volonté de transmuer le secret douloureux qui préside à sa conception ; car Pierre, poussière est né d'un hiatus, d'une ligne de faille entre « *la terre de [son] enfance – verte, arrosée – et la terre de [son] adolescence – sèche, fauve* ».
Chacun comprendra que le départ, le sentiment de l'exil, l'abandon d'une partie de soi-même sont au cœur de cette poésie : les grandes sécheresses au Sahel ont calciné le « *vert paradis* » de l'enfance, avant d'être elles-mêmes emportées par le vent de la déroute. Les guerres fratricides, l'exode des populations et l'impossibilité pour l'écrivain de langue française de s'établir dans le pays de son enfance font de l'errance la condition même du poète. De là, cette nostalgie des jardins qu'expriment les premiers poèmes d'En Saison, ce plaidoyer pour la verdure, ces « *cantiques* » qui rappellent la ferveur mystique de l'enfance.
De là aussi la colère par laquelle Nimrod retrouve les vertus guerrières de son patronyme biblique (en hébreu, Nimrod, premier roi après le déluge, signifie « se rebeller ») et le tempérament de feu que dissimule à peine sa nonchalance. Dans le long poème intitulé « Tibesti », l'écrivain évoque l'enrôlement des tirailleurs dans l'armée française lors de la Seconde Guerre mondiale, l'occupation du Fezzan par les Italiens, les mouvements de rébellion partis des contrées du Nord dans les années 1970.
Il dénonce la convoitise que suscitent les vastes gisements de pétrole du pays, les « *balles traçantes* », les « *missiles* », le « *napalm déversé sur l'or du sable* ». La manne pétrolière profite moins aux populations locales qu'aux instances internationales qui ont pris l'initiative de relier le Tchad à l'Atlantique par un pipe-line.
Il suffit pourtant de la présence d'un arbre dans ces désolations pour faire renaître l'espoir.
En surface, présence racornie ;
mais sous le sable ou la pierre,
dans le ventre des roches,
des racines s'enfoncent vers de
« *grands gisements d'eau* ».
Tel est, selon Nimrod, le « *lieu du poème* ». Dans ce désert des détresses humaines, les mots de la poésie viennent sourdre sous les pierres ou jaillir dans la noria des passions. Il convient alors de faire ce que font tous les jardiniers du Sahel : canaliser les sources pour féconder la terre, les soumettre au tracé des foggaras, galeries souterraines qui assurent le drainage des eaux vers les oasis.
Par le rythme et la vigueur d'une métrique savamment contrôlée, le poète obtient un effet comparable à celui de l'hydraulique saharien : en saison, des jardins transforment les étendues stériles, des « *chemins nous enchantent* ». La poésie a besoin du désert pour se faire promesse d'ensemencement.

Bruno DOUCEY

Sami Tchak ou la « philosophie dans le foutoir »

Éloïse Brezault*

Il y a dans l'écriture de Sami Tchak un « *je-ne-sais-quoi* » de violence sadique et de crudité impertinente qui ne peut laisser indifférent, surtout quand on fait la connaissance de l'homme, érudit et modeste, lecteur impénitent[1] et sociologue engagé qui a sillonné le monde entier en quête de pays à découvrir, de personnages à façonner et d'écrivains à lire. À la fois raconteur d'histoires et peintre de l'âme humaine, Sami Tchak fait de la femme, du désir et de la sexualité, le *leitmotiv* de tous ses écrits, tant littéraires que sociologiques. De *Femme infidèle*[2] à son cinquième roman, *Le Paradis des chiots*[3], en passant par *La Fête des masques*[4], Grand prix de l'Afrique noire en 2004, et quelques essais sur *La Prostitution à Cuba*[5] ou *La Sexualité féminine en Afrique*[6], se dessinent les grandes lignes d'un univers de la subversion que son ami et comparse togolais Kangni Alem avait rebaptisé ironiquement de « *philosophie dans le foutoir*[7] » ! Hommage éclairé au marquis de Sade, que l'on retrouve ça et là dans les romans de notre écrivain qui s'amuse à piéger le lecteur dans une sorte de jouissance immorale de l'horreur.

Ses romans emportent, au-delà des convenances et des idées reçues, à la frontière des interdits et des tabous, où l'amour est tout à la fois hétérosexuel, homosexuel, incestueux, contraint, passionnel, vicieux... Par une écriture cauchemardesque de la chair qui n'est pas sans rappeler les « *chairs-mots-de-passe* » d'un Sony Labou Tansi, il revisite les contradictions du monde contemporain.

Le corps, par l'entremise de la sexualité, devient alors métaphorique d'une liberté d'actes et de pensées que personne ne peut contrôler, comme on peut le voir dans *Place des fêtes*[8]. Dans un pays qui a « *digéré* » sans aucun ménagement la vie de ses immigrés, le narrateur, en mal d'intégration, se révolte et propose un langage de la chair : il fait de son corps l'hyperbole du plaisir par excellence. Le corps devient alors un monde à conquérir ou à défendre pour sauvegarder son identité. D'ailleurs, quand Laura, dans *Le Paradis des chiots*, épouse ses amis, elle perd ce « va*ste territoire intérieur* » (p. 51) qui faisait d'elle un individu à part entière et

---

* *Titulaire d'un doctorat en littérature comparée (université de Paris III) sur les nouvelles tendances de la fiction dans l'Afrique francophone entre 1990 et 2000, Éloïse Brezault travaille au CRDP de Paris, où elle a créé une collection en ligne gratuite pour diffuser les littératures francophones dans le 2nd degré (http://crdp.ac-paris.fr/d_arts-culture/parcours-francophones.htm). Elle donne des cours à Paris XII et à l'IUT métiers du livre de Saint-Cloud et a à son actif de nombreux articles publiés dans divers journaux et revues universitaires.*

1. *L'intertextualité est foisonnante dans toute son œuvre et il puise dans un patrimoine mondial (littérature française et francophone, sud-américaine...).*
2. *Dakar, NEAS, 1988.*
3. *Paris, Mercure de France, 2006.*
4. *Paris, Gallimard, 2004 (coll. « Continents noirs »).*
5. *Paris, L'Harmattan, 1999.*
6. *Paris, L'Harmattan, 1999.*
7. *Kangni Alem, « La philosophie dans le foutoir », in* Africultures, *mai 2003.*
8. *Paris, Gallimard, 2001 (coll. « Continents noirs »).*

Le corps est finalement l'unique patrie que les personnages de Sami Tchak pourront investir.

La quintessence d'une histoire universelle à écrire et à réécrire, celle des rapports complexes entre les hommes.

abdique sa liberté pour devenir une esclave sexuelle. Le corps est finalement l'unique patrie que les personnages de Sami Tchak pourront investir, seul territoire qui regorge encore de vie, de possibles et d'espoirs. Le tout est de savoir résister !

Dans *Place des fêtes*, *La Fête des masques*, *Hermina*[9] ou encore *Le Paradis des chiots*, l'écrivain n'a de cesse de peindre des « *vies minuscules* », comme autant d'interrogations existentielles sur l'âme humaine. Son écriture évolue, devenant toujours plus accomplie à force de travail sur la construction narrative et l'espace/temps : les voix s'écoutent, se croisent et se répondent ainsi qu'en atteste son dernier opus, *Le Paradis des chiots*, où la vie à El Paraiso est racontée par trois personnes qui posent un regard sans complaisance sur le bidonville qu'elles habitent. À la manière d'un Alejo Carpentier, Sami Tchak puise dans l'espace local des villes africaines, françaises ou sud-américaines la quintessence d'une histoire universelle à écrire et à réécrire, celle des rapports complexes entre les hommes, et il va même au-delà, en réduisant le local à la corporalité de ses personnages, comme il l'écrit dans *Hermina*. « *Alors que nombre de grands écrivains insulaires ont utilisé l'écriture pour faire de leur île une petite bouche qui avale le monde, Ananda Devi quitte le monde pour retourner dans son île, et comme si l'île Maurice n'était déjà pas trop exiguë rapportée à la dimension de la terre, elle y recherche des recoins comme Rodrigue, puis s'enferme dans des recoins comme Soupir, et finalement resserre tout dans son corps. La magie de son univers réside en partie dans cette démarche qui lui permet de dire l'universel avec quelque chose d'aussi intime.*[10] »

Toute la poétique de Sami Tchak tient finalement dans cet hommage lancé à l'écrivaine mauricienne, Ananda Devi : l'auteur, au fil de son œuvre, tente de réduire le local au seul espace du corps en déployant un imaginaire qui puise aux sources de l'écriture argotique, polyphonique et bien souvent subjective. Miroir déformant que l'écrivain jette avec brio sur les êtres de chair qui l'entourent ! C'est au lecteur, au cœur d'un jeu complexe de recomposition narrative, de tisser les fils de ces vies anonymes et ordinaires : « *Des vies sans horizon, quand on les raconte, parce qu'elles ressemblent à la goutte d'eau stridente, elles aussi finissent par vous envahir la tête, par vous agacer, par vous rendre fou.*[11] » Les enfants des rues d'El Paraiso, dans *Le Paradis des chiots*, rappellent immanquablement tous ces enfants-soldats qui ces dernières années peuplent la fiction africaine (de Kourouma à Dongala en passant par Ken Saro Wiwa et Waberi)… « *Des vies sans horizon* »

---

9. Paris, Gallimard, 2003 (coll. « Continents noirs »).
10. Cf. Hermina, *p. 117-118.*
11. Cf. Place des fêtes, *p. 10.*

Sami Tchak © Cultures Sud

pour trouver l'universalité dans l'intimité et qui sont autant d'échos aux peintures de l'artiste colombienne Constanza Aguirre[12], auteure d'un projet sur les « *Anonymes, oubliés, disparus, apparus* » auquel Sami Tchak a participé, avec d'autres écrivains…

Finalement, Sami Tchak donne à la création artistique – qu'elle soit picturale (avec *Le Paradis des chiots*, par l'intermédiaire de la peintre Lucia Aguillera) ou scripturale (avec l'écrivain Herberto dans *Hermina*) – le dernier mot : l'art, lieu de tous les possibles, est ce qui peut sauver l'humanité de sa misère. La création devient méditation sur l'existence car elle essaie « *de donner un sens, un sens moins fragile que les vies*[13] ». À travers une écriture polyphonique qui aspire à l'universel, Sami Tchak est un écrivain qui repousse constamment les frontières du langage pour interroger notre condition humaine et les monstruosités qu'elle recèle. Après cinq romans et plusieurs essais, il renouvelle, sans conteste, la scène littéraire française par un regard désarmant de vérité.

Éloïse BREZAULT

12. *Sami Tchak dédicace d'ailleurs son dernier livre,* Le Paradis des chiots, *à cette artiste peintre colombienne.*
13. Cf. Hermina, *p. 13.*

Panne d'inspiration

Sami Tchak

Mais quelques heures avaient suffi à Flora pour se rendre compte que José n'était qu'une surface repoussante, rien d'autre, il n'avait rien dans le ventre. Il faisait partie des gens qui, même après avoir ingéré de la charogne, avaient des pets sans odeur. Elle l'avait su en lisant une page de l'un de ses brouillons, où, au lieu d'écrire simplement *Le soleil se couchait*, ou *La nuit tombait*, José avait aligné des mots, *Vers l'occident, d'invisibles serviteurs préparaient déjà le lit pour la nuit de l'astre roi.* Elle hésita avant de lui dire, *Pourquoi tu n'écris pas simplement* La nuit tombait *ou* Le soleil se couchait ? Le laid gribouilleur éclata de rire, *Mais cela aurait été d'une platitude navrante, Flora !* Elle fut dégoûtée par cette emphase et prit une grave décision. Un jour, alors qu'il ressortait du Caribe, José se retrouva nez à nez avec un gosse armé. *C'est toi José ?* Et le môme fit feu sur lui en visant les genoux. Le beau môme se volatilisa comme dans un rêve. José fut transporté, inconscient, à l'hôpital. Quand il sortit de la salle de réanimation plusieurs mois après qu'on l'eut amputé de ses deux jambes, Flora était toujours près de lui, toute dévouée.

Il se retrouva dans un fauteuil roulant. Flora était toujours à ses côtés, l'adorant presque, convaincue que son infirmité ferait de son écriture un cri à déchirer les tympans du monde. *Ce gosse est une des facettes de ma chance, car, après ce qu'il m'a infligé, mes mots ne peuvent qu'être du tonnerre.* La chance ? Jamais Flora ne lui révéla être cette fameuse chance, que c'était elle qui avait payé le jeune sicario pour lui faire peur. Mais le *sicario* s'était montré trop zélé, l'habitude du boulot bien fait sans doute. José passait maintenant des heures devant son ordinateur, affirmant être littéralement possédé par Le Verbe. *Mes mots ont mille jambes pour courir à ma place, ils courent plus vite que le son.* Pendant six mois, à raison de dix heures par jour, il écrivit. Pour entretenir José, maintenant qu'elle le croyait capable de la rendre éternelle par les mots, Flora apprit à fréquenter les rues chaudes sous le règne des gamines de dix à quinze ans, mais où des vieilles de dix-huit ans pouvaient aussi se faire parfois un joli pactole. Quand elle revenait dans le nid pouilleux après avoir abandonné son corps à plus d'un client, l'écrivain la priait de le laisser entrer par le nez dans son sexe pour, disait-il, s'enrichir de l'authentique odeur de la vie.

Un jour, il lui dit avoir terminé le premier texte de l'après-drame, une nouvelle de dix pages. *Avec ça, je nais en grand au monde des lettres.* Mais, dès la première phrase de ce prétendu chef-d'œuvre, Flora eut un telle déception qu'elle décida de retourner chez sa mère. *Que faut-il inventer pour greffer des tripes à cette panse vide ?* Un mercredi, elle décida de retourner chez José, et ce jour-là elle lui montra la photo où on la voyait affectueusement tenue à la taille par Gaby Garcia Marquez en chair et en os. *Regarde, regarde, c'est moi, onze ans, et lui, c'est Gaby. Toi, tu es qui ?* Flora se sauva du nid du laid gribouilleur. Elle y revint quelques heures plus tard et retrouva le chieur de mots si concentré comme s'il allait pouvoir commettre une seule virgule digne de ce nom. Elle fut prise de dégoût et eut envie d'assommer José avec le fer à repasser à portée de main, mais elle se maîtrisa. *José, pourquoi m'as-tu rencontrée ? Pourquoi a-t-il fallu que ton chemin croise le mien ?* Elle se sauva, hystérique, et revint deux heures plus tard, apparemment sereine. José, tu es heureux ? Aussitôt, elle se dénuda. *As-tu peur de moi, José ?* Il écarquilla les yeux. *José, j'ai acheté une arme.* Elle exhiba l'arme en riant. *Tu es folle, non ?* Elle riait toujours. *Et toi alors, José, tu n'es pas fou ?* L'écrivaillon vit passer devant ses yeux un perroquet aux ailes blanches qui tenait dans son bec *Sexus* à la couverture barbouillée de confiture de goyave. *José, je suis ta mort, tu es né dans mes bras.* Elle éclata de rire. *Tu es folle, Mona !* Flora cessa de rire. *Mona ? Mais je ne suis pas Mona, je suis ta mort, José !* Alors, le perroquet lâcha Sexus sur le front de José. La détonation alla au loin propager ses échos.

Sami Tchak (extrait de «*La muse* », roman en cours)

2

Caraïbes

Dans un *batey* (habitation rudimentaire des coupeurs de canne à sucre venus massivement d'Haïti) de Saint-Domingue. Image extraite d'*Esclaves au paradis*, photographies de Céline Anaya Gautier, La Roque d'Anthéron, éditions Vents d'Ailleurs, 2007.

Caraïbes en créations
Manifeste « Pour un monde à partager »

« Un monde à partager »

Rencontres fondatrices de Caraïbes en créations

Après deux jours de débats (22/23 juin) à la Citadelle Henry, en Haïti, les participants aux Rencontres fondatrices de « Caraïbes en créations » ont adopté à l'unanimité le manifeste « Pour un monde à partager ».

En Haïti, à la citadelle Henry, lieu de mémoire, d'utopie et d'élan bâtisseur, se sont tenues les 22 et 23 juin 2007 les rencontres fondatrices de Caraïbes en créations.

Sous le parrainage d'Aimé Césaire et d'Edouard Glissant y ont participé plus de deux cents créateurs, responsables et opérateurs culturels, politiques et entrepreneurs de plus de vingt pays concernés, pour dessiner les contours, définir les objectifs et réunir les moyens nécessaires à ce nouveau programme de soutien à la création et à la diffusion culturelle de la Caraïbe.

La culture caribéenne s'exprime à travers ses identités multiples et originales, dans ses territoires qui partagent cet espace Caraïbe, des îles aux continents.

Ses créateurs et leurs oeuvres forment une réalité culturelle unique et solidaire qui constitue une opportunité sans pareil, facteur décisif de développement.

Ainsi, nous proposons un programme immédiat d'actions, défini selon cinq axes interdépendants :

- Aide à la production : par la création de fonds de soutien et la mise en relation des professionnels et acteurs, notamment dans les domaines de l'écrit, des musiques, des patrimoines matériels et immatériels, du spectacle vivant, des arts visuels et de l'image.
- Aide à la promotion et outils de communication : réseau Internet, soutien aux revues, traductions, campagnes de presse et de promotion, tenue régulière de rencontres régionales.
- Aide à la formation : information sur les réseaux et systèmes existants, appui aux initiatives de formation, incitation à une meilleure coordination des formateurs.

- Diffusion et distribution : appui au développement de mécanismes de diffusion (présentation et promotion) et de distribution (conditionnement et circulation) de la création intellectuelle et artistique de la Caraïbe.
- Législations : encouragement à des projets législatifs nationaux et internationaux en faveur de la libre circulation des créateurs et de leurs oeuvres, du statut de l'artiste, de la défense des droits et du développement culturel.

L'évolution prédominante dans l'économie mondiale des marchés de la culture justifie que l'on place en priorité de tels investissements pour le mieux-vivre des communautés, la promotion des échanges à l'échelle internationale dans des formes de réciprocité et la meilleure présence de la culture caribéenne dans le concert international et dans le respect de la diversité culturelle.

Forts de ces convictions et sur ces bases, les signataires de ce texte :

- invitent l'ensemble des acteurs à participer à la mise en place de ces réseaux et à adresser régulièrement de l'information sur la situation de leur travail ;
- appellent les gouvernements concernés, les collectivités territoriales, les organisations gouvernementales ou non, les entreprises privées, les fondations et les mécènes à soutenir le programme Caraïbes en créations pour un monde à partager.

Site Internet : www.culturesfrance.com

En la Citadelle Henry, Cap Haïtien, le 23 juin 2007

Contact presse : Culturesfrance
Département de la Communication

Agnès Benayer,
directrice +33 1 53 69 83 69
ab@culturesfrance.com

Marion Napoly,
chargée de communication
+33 1 53 69 32 25
mn@culturesfrance.com

Une nouvelle génération aux Caraïbes. Ruptures et continuités

Romuald Fonkoua*

Prendre ensemble les écrivains des Caraïbes et des Antilles de langue française, c'est d'abord constater l'existence de figures diverses et d'âmes fortes – pour parler comme Giono. À première vue, rien de commun entre les univers des écrivains haïtiens, Kettly Mars, Gary Victor, Louis-Philippe Dalembert et de la Martiniquaise Fabienne Kanor. Nés entre la fin des années 50 et la fin des années 60, ces écrivains font leur entrée en littérature au moment où celle-ci a acquis déjà ses lettres de noblesse. Plus que la précédente, cette génération se caractérise par une attitude assumée du déplacement à travers l'espace.

Diasporas, mobilité

En effet, les caractéristiques de celle-ci sont désormais pertinentes. La diaspora est la marque de son évolution comme on peut le voir dans le parcours des écrivains actuels qui ne fait que suivre ceux des générations précédentes. Mais à la différence de celles-ci, ce cosmopolitisme est assumé.

Écrire les Caraïbes est une entreprise qui ne se limite guère à l'enfermement géographique. Au contraire ! De même qu'hier les écrivains pensaient ces îles à partir de l'Afrique (Maryse Condé et Jean-François Brière), de l'Europe (Césaire et Glissant) ou des Amériques (Dany Laferrière et Émile Ollivier), de même, aujourd'hui, c'est à travers ces espaces du monde que les écrivains pensent les îles. Il suffit de suivre les trajectoires de ces auteurs. Écrivains cosmopolites, ils parcourent le monde (l'Afrique et le Moyen-Orient pour Fabienne Kanor et Louis-Philippe Dalembert ; les Amériques pour Gary Victor ; les Caraïbes pour Kettly Mars), en ayant une claire conscience de leur rapport aux îles. Hier encore, la question de ce rapport à l'espace restait une des préoccupations des écrivains, vécue en général sur le mode de la mauvaise conscience. On se souvient des écrits de Maryse Condé et Simone Schwartz-Bart pour la Guadeloupe, de Dorsinville et Brière pour Haïti. Ces écrits – jusqu'à Glissant et même Confiant – portaient sur une certaine interrogation du rapport des individus à leur paysage, à leur « *entour* ». Aujourd'hui, cette interrogation a décru au profit d'une certaine expérience du « *parler-monde* ». Commencée avec Daniel Maximin (*L'isolé soleil*) et le second Glissant (celui de

* *Spécialiste des littératures africaines et antillaises, Romuald Fonkoua enseigne à l'université Marc Bloch/Strasbourg II. Il a publié notamment, en codirection,* Les Champs littéraires africains *(ouvrage collectif) aux éditions Karthala en 2001 et* Essai pour une mesure du monde au XXe siècle : Edouard Glissant *aux éditions Honoré Champion en 2002. Il prépare actuellement une édition critique de Gabriel Maihlol,* Un philosophe nègre chez les Grecs *(2007).*

Reconsidérer les catégories occidentales comme des manifestes d'une histoire où les Caraïbes ont pris une part indéniable et inavouée.

Du point de vue politique ensuite, cette littérature est ancrée dans un environnement social immédiat.

Malemort), cette expérience d'un « *parler-monde* » contraint à se représenter autrement les catégories de penser des individus dans leur rapport au monde. Il ne s'agit plus d'interpréter celui-ci à l'aune des catégories occidentales seulement, mais de reconsidérer les catégories occidentales comme des manifestes d'une histoire où les Caraïbes ont pris une part indéniable et inavouée.

Un « *parler-monde* » plus apaisé

Cette nouvelle génération se construit ainsi au lendemain de nombreuses batailles historiques, culturelles et littéraires menées par les générations précédentes en vue d'une prise de parole et de sa reconnaissance. D'un point de vue littéraire d'abord, ces écrivains se rattachent à de grandes figures tutélaires par plusieurs aspects. Comment ne pas entendre dans l'œuvre de Gary Victor l'écho des écrits d'un Frankétienne ou même d'un Dany Laferrière ? Comment ne pas saisir dans les premières œuvres de Kettly Mars la réédition des préoccupations de Marie Chauvet – bien que l'écriture soit différente ? Comment ne pas percevoir dans les romans de Louis-Philippe Dalembert les échos lointains du réalisme merveilleux d'un Stephen Alexis ? Comment ne pas penser aux ressorts de la narration créole dans les récits de Fabienne Kanor ? Les écrits de cette nouvelle génération viennent en définitive nous conforter dans l'idée qu'il existe désormais aux Caraïbes une littérature qui évolue selon les modalités de son économie propre.

Du point de vue politique ensuite, cette littérature est ancrée dans un environnement social immédiat. C'est l'île d'Haïti et la fin des dictatures qui occupent à des degrés divers tout l'espace des romans de Kettly Mars, Gary Victor et Louis-Philippe Dalembert. Si pour la première, cette présence est implicite, pour les deux autres, elle saute aux yeux, à travers la création des personnages comme à travers la création des situations romanesques. Ce sont les Antilles politiques, c'est-à-dire, au sens très français, l'outre-mer (histoire et géographie mêlées), qui constituent l'arrière-plan de l'œuvre de Fabienne Kanor : pour elle, les Antilles sont ici et là-bas, comme l'est l'île d'Haïti pour Louis-Philippe Dalembert et Gary Victor. La particularité de ces récits est donc d'embrasser toutes les Caraïbes dans ses espaces et ses temps, c'est-à-dire, et très précisément, dans ce qui dépasse les limites usuelles ou traditionnelles de l'espace et du temps, enfermés dans un territoire unique et une chronologie univoque.

On ne sera pas surpris que ces écrivains soient plus attentifs à l'inscription des destins individuels dans des destinées collectives.

Du point de vue culturel, il ne s'agit plus pour les écrivains de faire prendre conscience de l'existence d'une réalité (présente là mais non reconnue comme le soulignent les romans de Maryse Condé, Confiant ou même Alexis), mais de rendre compte de la manifestation d'une réalité qui, pour être caraïbe, n'en est pas moins « transposable ». La littérature ne saurait être manifeste.

Corps, silence : espaces d'inscription d'un « *parler-monde* »

On ne sera donc pas surpris par le fait que les auteurs de cette génération accordent une importance plus grande aux histoires individuelles qu'aux sagas – à la différence des générations précédentes, celles constituées par exemple de Glissant ou Chamoiseau pour les Antilles ou de Justin Lhérisson pour Haïti – en remontant très loin dans le temps. Plus précisément, on ne sera pas surpris que ces écrivains soient plus attentifs à l'inscription des destins individuels dans des destinées collectives ou à l'interrogation de ces dernières à travers des parcours singuliers.

Dans les œuvres, l'attention au corps est frappante. Kettly Mars et Fabienne Kanor se rejoignent ainsi dans leur commune manière de prendre le corps pour sujet d'histoire. Pour Fabienne Kanor, c'est sur le corps féminin que s'inscrit l'histoire. Elle pousse ainsi jusqu'à son terme ultime une des approches de l'histoire initiée par Glissant dans ses romans historiques. Pour Kettly Mars, le corps est le lieu du dévoilement d'une histoire de la souffrance. Sa libération – au prix parfois d'une transgression violente – est aussi l'expression d'une subversion et d'une désaliénation. Le sentiment d'être en dehors de son corps est aussi ce qui se dégage des œuvres de Gary Victor et Dalembert. Le corps est tout à la fois physique, psychique, social, historique et politique.

Sortir du silence apparaît ainsi comme une exigence. Pour certaines figures littéraires des Caraïbes (Derek Walcott, Édouard Glissant), le silence est resté longtemps le problème à résoudre. Au vu de l'histoire et de ses conditions de production, le silence était perçu négativement, parce qu'il renvoyait le nègre esclave des Indes à un univers insensé. La réhabilitation de celui-ci était tout à la fois une manière de réécrire l'histoire et une façon d'inscrire le politique en littérature. Par l'attention accordée au corps, Kettly Mars et Fabienne Kanor illustrent une certaine façon de panser le silence – comme une plaie. Le corps est

Dans des sociétés coupées d'elles-mêmes, le corps est le seul paysage stable qui traverse, avec et malgré eux, les péripéties de l'histoire.

ainsi dans l'œuvre ce qui traduit la réalité de l'œuvre accomplie. Les écritures de Louis-Philippe Dalembert et Gary Victor sont aussi des manières de sortir du silence imposé par l'histoire, de renouer avec cette « *île du bout des rêves* » et de retrouver « *l'autre face de la mer* » caraïbe comme il y a une autre « *face du royaume* » chez l'écrivain congolais V.Y. Mudimbe.

Ces corps, qui dépassent par leur seule inscription dans les textes le silence, sont aussi ce qui justifie les traces de la mémoire et les marques de l'histoire. Dans des sociétés coupées d'elles-mêmes par les dictatures ou aux mémoires enfouies à cause des superpositions nombreuses d'histoires particulières et conflictuelles, le corps est le seul paysage stable qui traverse les péripéties de l'histoire, les gardant en mémoire toujours.

Un éclatement des codes génériques : place à la voix

Une des constantes du discours sur la littérature des Caraïbes aujourd'hui porte sur la nature de l'écriture. Celle-ci est créole pour les uns, hybride pour les autres, métissée pour d'autres encore. Certes, dans les générations précédentes, celles de Frankétienne, de Chamoiseau et de Confiant, la référence au créole écrit, le mélange de l'écrit et des arts (arts visuels, arts musicaux, arts plastiques et arts de la scène) ont conduit à une spécificité de l'écriture littéraire des îles.

Les écrivains de cette nouvelle génération ne pratiquent pas ces hybrides littéraires avec la même fougue, la même passion ou la même approche idéologique, ni avec cet égoïste désintérêt qui, selon certains, sied aujourd'hui à la « *littérature des minorités* ». Il ne s'agit pas pour nous d'affirmer l'absence de toute idéologie guidant la littérature chez eux. Il suffit de noter, au contraire, que le dépassement des passions conduit justement à une pratique de l'écriture où le décloisonnement des genres devient la règle.

Lire aujourd'hui Louis-Philippe Dalembert, Kettly Mars, Gary Victor ou Fabienne Kanor, c'est se confronter à des écritures romanesques qui ne cèdent en rien à la dimension poétique. Ce qui caractérise ces écrivains des Caraïbes c'est autant une certaine distance par rapport aux pratiques convenues de la littérature (celles des Caraïbes à travers les nombreux courants, réalisme magique, créolité, etc., n'étant pas les moindres) qu'un travail personnel certain sur la qualité de la langue littéraire utilisée. L'écriture romanesque chez Fabienne Kanor ou Kettly

L'écriture romanesque chez Fabienne Kanor ou Kettly Mars est aussi pratique de la poésie.

Mars est aussi pratique de la poésie. Tout se passe comme si les défis que s'imposaient ces romancières tenaient plus à leur rapport intime à la littérature qu'à leur rapport idéologique à une certaine manière – imposée – de rendre compte d'un discours collectif.

Si le dialogue fécond entre les Arts (arts visuels, arts plastiques, arts de la scène) venus des diverses cultures et civilisations qui composent l'archipel des Caraïbes qui faisait une des particularités des générations précédentes (cinéma et littérature pour Walcott, peinture et poésie pour Glissant, sculpture, peinture et récit pour Frankétienne) se poursuit aujourd'hui encore à travers le cas de Fabienne Kanor (littérature et cinéma) et Gary Victor (littérature et théâtre), celui-ci reste

© Catherine Millet

Ces écrivains des Antilles ou des Caraïbes ne considèrent pas le problème de l'écriture en français ou en créole comme des impératifs catégoriques.

cependant marginal. C'est dans un approfondissement de l'esthétique du dire, dans la place accordée à la voix, que se situe véritablement le travail d'écriture des écrivains de la nouvelle génération.

On voit ainsi combien les problèmes qui s'étaient posé aux générations précédentes (problème de la langue d'écriture, du rapport de l'écrivain à son auditoire, du romancier ou du poète à son paysage) trouvent ici des réponses singulières. On sera sensible par exemple au fait que ces écrivains des Antilles ou des Caraïbes ne considèrent pas le problème de l'écriture en français ou en créole comme des impératifs catégoriques. Ils l'envisagent au mieux et sereinement comme des simples moyens d'expression. De même, alors que les générations précédentes étaient en quête d'auditoire (d'un peuple), ces écrivains se posent le problème du rapport du dire à l'écoute en tenant compte de la diversité des auditoires qui caractérise l'espace des Antilles et des Caraïbes. Au final, c'est bien une rupture dans la continuité qui est la marque de fabrique de cette génération.

Romuald FONKOUA

Louis-Philippe Dalembert, une voix à grandes foulées

Yves Chemla*

Louis-Philippe Dalembert est né en 1962. Il a mené une partie de ses études en France, a vécu à Jérusalem et a traversé le Moyen-Orient. Il a été pensionnaire à la villa Médicis, à Rome, avant de travailler à l'Institut italo-latino-américain, dans la même ville. C'est un voyageur polyglotte, qui parcourt de nombreux pays, même s'il habite à Paris depuis quelques années et qu'un roman, *Rue du Faubourg Saint-Denis*[1], paru en 2005, témoigne de cette inscription. Son œuvre est un appel au voyage, voire même à un certain vagabondage, physique et matériel, mais aussi et surtout culturel et intellectuel, qui serait garant d'une sortie du conformisme et de la lâcheté imprimée aux êtres par la répétition du quotidien. Mais cette échappée belle n'est pas dénuée de risques : souvent les héros, parvenant au bord de l'accomplissement, « *à quelques secondes de croquer à pleines dents dans la chair juteuse*[2] », pressentent, voient ou, pire, ressentent dans leur chair, que l'objet de la quête s'estompe, disparaît dans l'abîme, et eux-mêmes avec lui. Dans la nouvelle « Le Songe d'une photo d'enfance[3] », datée de 1990, le narrateur – revenant du *déchoukaj* de la statue de Colomb par la foule, après la fuite du « *successeur de l'Honorable* » – se souvient « *qu'il s'était promis de raconter son histoire un jour où l'espoir refleurirait sur Salbounda* ». Au moment où il commence à taper les premiers mots sur sa machine à écrire, l'angoisse l'étreint : « *Et si le moment n'était pas encore venu de tenir ma promesse ? Et si l'histoire de cette île caraïbe devait continuer à être un long récit de cauchemars* ? » (p. 116).

L'œuvre de Louis-Philippe Dalembert explore plusieurs genres et plusieurs formes : poésie, articles, nouvelles, romans, des textes qui font retour sur l'enfance, sur le pays quitté, sur la constance dans le passage et dans un voyage qui n'est pas une errance, mais qui procède bien, plutôt, de la volonté d'*improviser* une appartenance au monde, considéré dans sa dynamique, en opposition à tout ce qui retient et plonge l'être dans la fange et dans la souille de Salbonda. Car au centre de l'écriture, il y a cette présence, têtue et comme un hommage rendu à ce qui aurait dû ne pas s'enliser dans les ténèbres, Haïti. « *Les deuils ne se ferment pas comme les blessures* », écrivait-il dans *Et le soleil se souvient*[4].

---

* *Yves Chemla est docteur ès lettres et sciences humaines, de la Sorbonne (Paris IV). Chercheur et critique littéraire, il a publié un essai sur le roman haïtien contemporain, ainsi que de nombreux articles consacrés aux littératures du Sud, dans des revues institutionnelles, ainsi que dans des ouvrages collectifs (www.ychemla.net).*

1. *Monaco, Éditions du Rocher, 2005.*
2. *« Frontières interdites »,* Le Songe d'une photo d'enfance, *Paris, Éditions du Serpent à Plumes, 1993, p. 17.*
3. In Le songe d'une photo d'enfance, *Paris, Éditions du Serpent à Plumes, 1993.*
4. *Paris, L'Harmattan, 1989, p. 31 (coll. « Poète des cinq continents »).*

Louis-Philippe Dalembert © Daniel Mordzinski

C'est dans le jour naissant que le navire de *L'île du bout des rêves* appareille pour une aventure hors du commun, qui voit un narrateur assumer les conséquences entraînées par son souci de maintenir l'échappée belle comme une règle existentielle. « *Silence de la ville* », clair-obscur qui nimbe la face des choses, « *flots cristallins dans le petit matin* » cèdent vite place à la furia du cyclone[5]. Ce sont aussi les navires en partance qui constituent le spectacle par excellence pour Grannie, qui a « *longtemps […] rêvé de traverser l'océan, comme on enjamberait une flaque d'eau, pour aller voir le point de jonction du ciel et de la terre*[6] ». Première différence des regards, qui est aussi le signe d'une proximité : dans le premier roman, c'est la terre qui devient un grain de sable qui disparaît du regard. Dans le second, c'est le navire qui finit par se « *confondre avec le grain de sable de l'horizon* ». La jonction entre ciel et terre est improbable, c'est une projection de l'être, voire sa suspension, une frontière ultime qui lève toutes les lignes de démarcation. Ainsi, le départ de Maïté – le premier amour de jeunesse du narrateur, dans *L'Autre Face*

5. L'île du bout des rêves, *Paris, Bibliophane-Daniel Radford, 2003, p. 15.*
6. L'autre face de la mer, *Paris, Stock, 1998, p. 13.*

Un imaginaire propre à l'auteur, déterminant une composition cinématographique des œuvres.

de la mer – oblitère le sentiment du réel : malgré le rayonnement de l'après-midi et la réverbération de la lumière sur les arbres en fleur, « *tout me paraissait suspendu dans un non-lieu et un non-temps. Mon corps flottait hors de moi*[7] ». Cette circulation des regards et des représentations structure un imaginaire propre à l'auteur, déterminant une composition cinématographique des œuvres, très clairement affichée dans ce dernier roman. Mais aussi, il ne faut pas se laisser captiver par la mise en scène, ni par l'ordonnancement des personnages, c'est-à-dire seulement par la trace du visible : la « *jam-session macabre sous le soleil des tropiques* » de *L'Autre face de la mer*, qui voit la description d'un lynchage ordonné comme une cérémonie sordide, n'a de sens qu'au regard de ce qui échappe au visible. Le dispositif narratif, chez Dalembert est sans cesse travaillé par le hors champ, comme son ombre siamoise.

C'est principalement dans la construction analeptique que le hors-champ prend toute sa part : le narrateur dalembertien recueille délicatement les espaces, les temps, les personnages et leurs postures, qui ont participé à sa propre construction. Le souvenir – y compris quand il faut le faire glisser dans la fiction, par l'intercession du rêve, mais surtout des femmes aimées – constitue la particularité de cette œuvre. Toujours engagé dans un mouvement et dans un projet, le narrateur retrouve en lui les personnages de sa mythologie personnelle, comme le Faustin du *Crayon du bon Dieu n'a pas de gomme*[8], et tout le paysage physique et humain dans lequel il se manifeste à la mémoire. Et c'est le présent de la narration qui devient le point de jonction, une suspension attentive qui rend possible l'écoute intime des voix de celles et ceux qui ne sont plus, mais que le personnage écoute parler en lui. Les croyances, les religions, mais aussi les différentes parlures, il les reprend à son compte, notamment dans *Les dieux voyagent la nuit*[9], bravant les conformismes littéraires en mêlant les registres, du trivial au sublime, collant au plus près de cette réalité. Et c'est peut-être ce nœud central qu'exprimait l'image insolite présente dans la première nouvelle du *Songe d'une photo d'enfance*, « Frontières interdites » : « *Même en plein jour, ses pas se confondaient avec la nuit.* » (p. 19).

Yves CHEMLA

---

7. Idem, p.206.
8. Paris, Éditions du Serpent à Plumes, 2004
9. Monaco, Éditions du Rocher, 2006

Louis-Philippe DALEMBERT
Les Dieux voyagent la nuit
Éditions du Rocher, 2006, 228 p.
16,90 €

Le vagabond des lettres haïtiennes fait *descendre* Haïti depuis la nuit new-yorkaise, nuit terne, et de si peu d'aspérités. Et c'est depuis cette nuit-là que lui reviennent des souvenirs. Un homme songe. Il a commis un impair lors d'une cérémonie vaudoue à laquelle il a demandé d'assister, sans se rendre compte qu'il devenait voyeur de sa propre culture. Mais est-ce bien vraiment sa culture ? À côté de lui, une femme dort, il aurait aimé qu'il en fût autrement, mais son attitude l'a blessée, elle surtout, qui est l'intercesseur avec ce qu'il a manqué de ce qu'il transformait en pur spectacle par sa seule présence. Mais comment dire cette culture, sans la réduire à un objet de connaissance, lui faisant perdre ce qui en elle est la vie même ? Alors, il pense, il dérive, cette dérive l'amarrant cependant au temps d'enfance. Cette culture qu'il a tenté d'approcher, le vaudou, il a tourné autour durant son enfance, il en a deviné certaines ornières, il ne peut désormais que la connaître, même si ses chants sont devenus aussi les siens. À côté de lui, la femme continue de dormir, non offerte, habillée, et pourtant si présente. On songe à ce que l'auteur dit à Paola Ghinelli de sa relation à son morceau d'île, parole reprise dans *Archipels littéraires*[1] : « *Nous formons un couple qui continue de se fréquenter dans la joie en dépit de l'incapacité à vivre sous le même toit.* » Il aura fallu laisser passer le temps de l'échappée belle et s'éloigner des miasmes de Salbonda.

Il y a chez Louis-Philippe Dalembert ce constant souci qui est comme un trouble transmis au lecteur : on est toujours à la fois ici et là-bas, maintenant et autrefois, moi et un autre. C'est un temps dédoublé qui prévaut : celui de la pleine conscience qui rejoue la montée de celle-ci.

Le lecteur est en présence d'un récit produit dans le vagabondage intérieur d'un être qui se revoit face aux choses dont il croit qu'elles lui échappent, parce qu'elles lui échappaient autrefois. Mais dès lors qu'il les évoque, il s'en tient alors au plus près.

La composition même du roman témoigne de ce paradoxe lié à l'intime. Deux mouvements de sept temps de souvenirs, encadrés par une ouverture et un passage, se donnent à lire comme une cérémonie transfigurée dans la littérature. Il y a d'abord le temps d'enfance qui est celui de l'acceptation, puis la mise en mouvement de la transgression, comme un dépassement des frontières géographiques.

Cette dynamique de la composition est tout entière opposée à la description de la cérémonie initiale, perçue presque comme une banalité, dans l'ouverture.

Et c'est toute l'analepse de l'enfance qui frémit dans le souvenir et métamorphose le texte à prétention faussement ethnologique en découverte de soi et par là même des autres, dans un même mouvement.

C'est que le monde de l'enfance est particulièrement lié à l'étonnement littéraire, car c'est dans l'enfance justement que les grands abstracteurs – la religion, Dieu, Satan, la famille, la disparition, l'amitié, l'absence – prennent corps avec le plus d'intensité et d'amplitude, limitant le monde à l'horizon du regard. La vie, ensuite, s'attache à complexifier, nuancer, recadrer, techniciser. À déposséder, certainement. Pour le personnage, cette dépossession se donne à lire à l'empreinte que laisse cette Haïti désirée, et se refusant, tournée vers le désir de la présence de l'autre et rejetée par ceux qui ont largué les amarres.

Yves CHEMLA

1. *Montréal, Mémoires d'encrier, 2005.*

Fabienne Kanor ou la tentation de Damas

Boniface Mongo-Mboussa*

Concept essentiel du marxisme, l'aliénation est, aux yeux de Frantz Fanon (1955), un sésame qui permet d'analyser les traumatismes psychiques générés dans les sociétés antillaises postesclavagistes. Longtemps considérée comme une clé pour cerner la complexité des Antilles, l'aliénation a été, au moment de l'irruption de la créolité, reléguée au second plan au profit du métissage. Or, ces dernières années, plusieurs essayistes soulignent les limites de la créolité. Édouard Glissant distingue créolisation et créolité[2] ; Derek Walcot déconstruit son manifeste[3] ; Michel Giraud, évoque, sans détour, une rupture en trompe-l'œil[3], etc. C'est donc dans ce contexte de la défaite de la créolité que Fabienne Kanor entre en littérature, avec un roman, *D'eaux douces*[4], qui raconte l'aliénation d'une jeune Antillaise, « *prise dans les rets de la question identitaire* », et qui, pour s'affranchir, assassine son amant. Par-delà, le meurtre, *D'eaux douces* décrit, dans une langue violente, la difficulté des Antillaises à vivre une relation amoureuse avec des hommes volages. Par-delà encore le procès des hommes, c'est l'aliénation de cette petite bourgeoisie antillaise (celle des parents de l'héroïne), venue en métropole dans le cadre du Bumidon[5], qui se pose. Cette question, rappelons-le, a fait l'objet d'une méditation chez Maryse Condé. Dans son essai, *Le Cœur à Rire et à pleurer (2001)*, la romancière guadeloupéenne revient sur son adolescence et donne de ses parents l'image d'un couple conformiste, convaincu que seule la culture occidentale vaut la peine d'exister. Si dans sa fougue juvénile, Maryse Condé doutait à peine de l'aliénation de ses géniteurs, le regard qu'elle porte à l'âge adulte sur ce couple est tout en nuance. Mais là où Maryse Condé approche, avec le poids du temps, les faits en tremblant, Fabienne Kanor, elle, tranche, stigmatise. Vu sous cet angle, l'auteur *D'eaux douces* est moins la cadette (littéraire) de Maryse Conde que la petite-fille du poète guyanais Léon-Gontran Damas. L'un et l'autre font un procès féroce de l'assimilation.

---

* *Boniface Mongo-Mboussa enseigne la littérature francophone au Sarah Lawrence College (Paris). Critique littéraire, il collabore à de nombreuses revues (*Notre Librairie, Africultures, Hommes et migrations, La Quinzaine littéraire*, etc.). Il a publié deux essais dans la collection « Continents noirs » des éditions Gallimard :* Désir d'Afrique *(2002) et* L'Indocilité *(2005).*

1. *« Je crois qu'il y a eu un malentendu parce que dans le discours antillais j'ai beaucoup parlé de créolisation. Pour moi la créolité est une autre interprétation de la créolisation. La créolisation est un mouvement perpétuel d'interpénétrabilité culturelle et linguistique, qui fait qu'on ne débouche pas sur une définition de l'être. Ce que je reprochais à la négritude, c'était de définir l'être : être nègre.... Or, c'est ce que fait la créolité : définir un être créole. C'est une manière de régression, du point de vue processus, mais qui est peut-être nécessaire pour défendre le présent créole. » In Édouard Glissant,* Introduction à une poétique du Divers, *Gallimard, 1996, p. 125.*
2. *Derek Walcott,* Café Martinique, *Monaco, Éditions du Rocher, 2004.*
3. *Michel Giraud, « La créolité : une rupture en trompe-l'œil », in* Cahiers d'Études Africaines XXXVI (4) *n° 148, 1997, p. 795.*
4. *Paris, Gallimard, 2003 (coll. « Continents noirs »).*
5. *Le Bumidom (Bureau pour les migrations intéressant les départements d'outre-mer), créé en 1961, est chargé officiellement d'organiser cette émigration des Antillais vers la métropole.*

L'usage de l'ironie, le tout travaillé par une langue sèche.

« *Tout ce qui m'emmerde en gros caractère/ Colonisation/ Civilisation/ Assimilation/et la suite...*[6] »

Ces vers acides de Pigments (1937) pourraient servir d'épigraphe à *D'eaux douces,* tellement les deux textes se répondent en écho ; il y a une autre similitude, cette fois-ci formelle : l'usage de l'ironie, le tout travaillé par une langue sèche. Bien entendu, on pourra rétorquer qu'une telle comparaison est asymétrique : l'un est un poète, l'autre romancière. C'est oublier combien *D'eaux douces*, dénué d'action, est conçu comme un long monologue intérieur, ou l'auteur tisse présent et passé. Un passé qui passe à peine, puisque le lecteur découvre à la fin du récit que l'arme du crime de Frida appartenait à un armateur négrier, qui s'était pris d'amour pour son arrière-grand-mère. On ouvre ici un autre pan de ce roman : celui de la (non) transmission, qui, *in fine*, annonce le second texte de Fabienne Kanor. Récit de la mémoire, *Humus*[7] est inspiré d'un fait réel. En 1774, quatorze femmes enferrées dans les cales d'un bateau négrier refusèrent la fatalité de l'esclavage en se jetant à l'eau. C'est en visitant, à Gorée (Sénégal), une exposition consacrée aux rébellions d'esclaves que Fabienne Kanor tombe sur cet extrait du journal de bord de Louis Mosnier, capitaine du bateau négrier Le Soleil : « *Le 23 mars dernier, écrit le capitaine, il se serait jeté dessus la dunette à la mer et dans les lieux 14 femmes noires toutes ensemble et dans le même temps, par un seul mouvement... Quelque diligence qu'on pût faire, la mer étant extrêmement grosse et agitée, ventant avec tourmente, les requins en avaient déjà mangé plusieurs avant qu'il y ait eu même du monde embarqué, qu'on parvint cependant à pouvoir en sauver sept dont une mourut à sept heures du soir étant fort mal lorsqu'elle fut sauvée qu'il s'en est trouvé huit de perdues dans cet événement.* » Le thème s'impose à la romancière. Il lui faut, dès à présent, substituer à ce discours mécanique – reposant sur les chiffres, les conditions de détention, les traitements infligés aux captifs etc. –, l'humanité de ces femmes, leurs origines, leur passé, leur intimité, bref les sortir de l'anonymat pour en faire des sujets de l'histoire en leur donnant la parole. Le roman s'ouvre sur le récit de la Muette et se ferme sur celui de l'Héritière, le double de l'écrivain, inscrivant ainsi ce douloureux passé dans le contemporain. Alternant chants de marins et voix multiples des esclaves, Fabienne Kanor innove sur un thème si présent dans les littératures antillaises. Plutôt que nous donner à voir un récit historique, elle compose un roman, *un oratorio choral*[8].

---

6. *Léon- Gontran Damas,* Pigments, *Paris, Présence africaine, 1972, p. 53.*
7. *Paris, Gallimard, 2006 (coll. « Continents noirs »).*
8. *Jean-Louis Joubert,* Le Français dans le monde, *novembre-décembre 2006.*

Fabienne Kanor © Cultures Sud

À partir de là, on voit bien ce qui la distingue des écrivains de la créolité. Alors que Patrick Chamoiseau, avec *L'esclave vieil homme et le molosse* (1997), et Raphaël Confiant, avec *Nègre marron* (2006), mettent en scène la figure du rebelle à partir de la plantation, Fabienne Kanor peint une rébellion née dans la cale du bateau, au moment de la traversée, faisant de la mer le lieu de l'histoire et répondant par là-même (dans un jeu de miroir) aux thèses de *Black Atlantique*[9]. D'où ces vers du grand poète Dereck Walcott, placés à l'entrée du roman, et qui résument fort opportunément, la démarche de la romancière : « *Où sont vos monuments vos batailles, vos martyrs?/ Où est votre mémoire tribale ? Messieurs,/ dans ce gris coffre-fort. La mer/ les a enfermés. La Mer est l'Histoire.* »

Boniface MONGO MBOUSSA

9. *Paul Gilroy,* L'Atlantique noir. Modernité et double conscience, *traduit de l'anglais (États-Unis) par Jean-Philippe Henquel, Paris, Éditions Éclat/Éditions Kargo, 2003.*

Fabienne KANOR
Humus
Paris, Gallimard, 2006, 256 p. (Coll. « Continents noirs »)
15 €

Alors qu'il se promène à Florence, un touriste péruvien, héros de *L'homme qui parle* (Mario Vargas Llosa), tombe en arrêt, à l'occasion d'une exposition de photos, devant les images anciennes de son Pérou natal. Commence alors un long travail de mémoire, un retour vers les origines. Sans comparer Fabienne Kanor à Mario Vargas Llosa, on trouve cependant une homologie de situation entre *L'Homme qui parle* et *Humus*. C'est en visitant à Gorée, au Sénégal, une exposition consacrée aux rébellions d'esclaves, que la romancière antillaise tombe sur cet extrait du journal de bord de Louis Mosnier, capitaine du bateau négrier Le soleil : « *Le 23 mars dernier, il se serait jeté dessus la dunette à la mer et dans les lieux 14 femmes noires toutes ensemble et dans le même temps, par un seul mouvement… Quelque diligence qu'on pût faire, la mer étant extrêmement grosse et agitée, ventant avec tourmente, les requins en avaient déjà mangé plusieurs avant qu'il y ait eu même du monde embarqué, qu'on parvint cependant à en sauver sept dont une mourut à sept heures du soir étant fort mal lorsqu'elle fût sauvée qu'il s'en est trouvé huit de perdues dans cet événement.* » Le thème s'impose alors à la romancière. Pour elle, il est urgent de substituer à ce discours mécanique une écriture vivante. À travers douze chapitres, qui sont également douze voix (La Muette, La Vieille, L'Esclave, L'Amazone, La Blanche, Les Jumelles, L'Employée, La Petite, La Reine, La Volante et L'Héritière), Fabienne Kanor imagine les destinées de ces femmes et reconstitue leur parcours, avant leur embarcation. Alternant les chants des marins et les multiples voix des esclaves, Fabienne Kanor « *transforme cette histoire vraie en blues intime, où chaque récit de vie est une note ajoutée à la gamme dramatique*[1] ». L'originalité d'*Humus*, par rapport aux nombreux romans consacrés à l'esclavage, réside dans le fait que Fabienne Kanor ne nous donne à lire ni un roman historique ni une épopée, mais plutôt un texte polyphonique, dans lequel la narratrice joue un rôle humble : celle de passeur de paroles. Cette démarche explique aussi le ton volontairement apaisé du récit, comparativement à celui *D'eaux douces*, ironique et acéré. Avec ce deuxième roman, Fabienne Kanor, qui avait déjà fait une entrée remarquée en littérature (Prix Fetkan 2006, pour *D'eaux Douces*), s'impose comme l'une des voix avec laquelle il faudra dorénavant compter dans la littérature antillaise.

Boniface MONGO MBOUSSA

1. *Anne PITTELOUD,* Chœur d'esclaves, *Courrier de Genève, 21 octobre 2006.*

Kettly Mars ou la nécessaire présence du désir

Rodney Saint-Éloi*

Kettly Mars est parmi nous avec son œuvre. Simple comme le jour qui se lève. Une femme écrit dans la ville. Sans bravade ni héroïsme. Elle écrit comme elle aurait pu faire la couture ou enfanter, avec la certitude que l'écriture fait partie des gestes ordinaires et des choses simples.

Son premier lecteur avisé est mon ami l'écrivain Jean-Claude Fignolé, qui m'a avoué un matin d'été de l'année 1991 avoir découvert le manuscrit d'une jeune auteure. Pulsion. Éros. Illuminations. Poésie d'une grande intensité, renchérit-il. Fignolé en a profité pour me faire une leçon de littérature érotique, dressant une mini-anthologie de la poésie érotique. Je n'ai jamais vu un Fignolé si enthousiaste, lui qui a la réputation d'un écrivain grammairien, plutôt boudeur.

Quelques jours après, je rencontre Kettly Mars dans un restaurant de Port-au-Prince, *Aux Cosaques*. Une véritable femme *poto-mitan* qui s'impose par sa grande taille. Discrète, elle commence par parler de son emploi d'adjointe administrative au consulat du Japon. Ce qui la fixe dans la vie réelle. On passe timidement à la littérature. Elle s'attend à quelques avis et recommandations de Fignolé, considéré comme l'un des romanciers et critiques les plus en vue du pays. Il cite avec assurance et générosité quelques femmes auteures haïtiennes, dont Yannick Jean et Marie Chauvet.

La voix de Mars est d'un éclat grave. Reste alors quelque chose de mystérieux. Une certaine pudeur. Doit-elle s'autocensurer ou échapper à la mort, en transcrivant le désir. Sereine, elle cherche ses mots, chacune de ses phrases a son poids. Pour écrire, il lui faut vivre ou rêver de vivre, créant son langage et sa mythologie. Elle a tout compris. Ce n'est pas facile pour une jeune femme de la bonne société de Port-au-Prince d'oser écrire ses premiers vers, célébrant le choc amoureux et les corps embrasés. Je me suis rapproché de quelque chose que j'appellerais la vérité littéraire, cette manière vraie d'investir le langage.

Six ans après, Kettly Mars publie son premier recueil, *Feu de miel*[1]. Le public découvre des textes qui font place largement au désir et à une expression libérée de la sexualité. Écrire pour elle consiste à dire le corps brûlant. Elle peint avec une touche contenue des univers singuliers. Commence ainsi la vie d'un soleil à l'autre, d'un milieu à un extrême :

« *Entre deux soleils/ refaire tous tes chemins/ traverser tes pôles/ en passant par ton milieu/ m'enfouir dans ton extrême.* »

---

* *Né à Cavaillon, au sud d'Haïti, Rodney Saint-Éloi est poète et éditeur. Il vit depuis 2001 à Montréal, où il partage son temps entre l'écriture, l'édition et les tournées d'écriture et de conférences. Il dirige les éditions Mémoire d'encrier.*

1. Feu de miel, *Port-au-Prince, Imprimeur II, 1997.*

Kettly Mars © Philippe Bernard

J'ai gardé de cette rencontre avec Kettly Mars l'intensité du propos, et cette manière d'être par nécessité dans le poème. C'est une voix qui s'interroge sur le pourquoi écrire et sur comment écrire, sans aliéner le corps. Cette corporéité qui marque son écriture constitue la matrice centrale autour de laquelle tout se joue. Le corps longtemps interdit se dévoile, dans le dit de la jouissance et d'une action, qui instaure la nécessaire présence du désir.

L'écriture de Kettly Mars – comme celle d'autres femmes poètes ayant publié à la même époque : Farah-Martine Lhérisson et Emmelie Prophète, entre autres – est un acte d'insoumission. La subversion tient de la cohérence poétique de ces voix qui opèrent par une reformulation du désir et de l'éros. Dans la maison du père, des femmes s'élèvent pour regarder le monde de leur propre point de vue. On pourrait voir dans cette tendance une véritable mise en place d'une écriture au féminin[2].

Quand on pense aux conditions d'existence des femmes en Haïti, aux violences et exclusions de toutes sortes dont elles sont victimes, on serait porté à crier haut

---

2. *Dans une société de type patriarcal comme Haïti, écrire est un exercice propre aux hommes. Néanmoins, à partir des années 1980, on assiste à la mise en place d'une écriture au féminin, avec entre autres Kettly Mars, Emmelie Prophète, Farah Martine Lhérisson, Margareth Papillon, Yanick Lahens, Marie-Célie Agnant, Jan J. Dominique, Évelyne Trouillot, Stéphane Martelly.*

Dans la maison du père, des femmes s'élèvent pour regarder le monde de leur propre point de vue.

L'exil ce n'est pas aller à la recherche du bonheur, c'est avoir le droit de choisir nos malheurs.

et fort la perspective féministe des écrits de femmes. Pourtant, Kettly Mars se refuse toute étiquette. En écrivant, elle revendique cette intériorité qui la met face à son miroir, à ses fantasmes et démons.

« *Je n'ai pas la sensation de mener un combat en écrivant mais plutôt de gagner des paris contre moi-même. De relever mes propres défis et ceux que les autres voudraient m'imposer, de me libérer.* »

Après la publication d'un livre de nouvelles, Kettly Mars publie son deuxième recueil, *Feulements et sanglots*[3], qui explore les mêmes thèmes, avec la présence sexuée des êtres et des corps. Consciente de son talent d'écrivain et de sa responsabilité, elle écrit en alternant depuis poésie, nouvelle et roman.

Contrairement à sa poésie, les récits interpellent directement le collectif. Son premier roman, *Kasalé*[4], se déroule dans un *lakou*[5]. Dans cet univers merveilleux à la Depestre, Sophonie, un soir, enceinte dans son rêve, porte l'enfant de l'eau. Défilent les dieux du panthéon vaudou et, en parallèle, la misère chronique qui rogne les illusions.

Le roman *L'heure hybride*[6] lui a valu le prix Léopold Sédar Senghor de la création littéraire 2006. Elle se met dans la peau de Rico, gigolo qui, pour survivre, intègre les codes de la société petite-bourgeoise décadente de Duvalier fils, flirtant avec tous les bonheurs artificiels. Dans ses nuits d'orgie, vient le bercer le souvenir de sa mère Irène.

La constante est qu'en arrière-fond du récit, une figure de femme – symbole d'autorité et de protection, Grann, Houguénikon (chef) du *lakou* ou Irène, la face humaine du fils cynique – donne un sens à nos rêves.

Kettly Mars vit et écrit dans ce Port-au-Prince qui défie tous les bien-pensants. Partir ou rester, telle est la question.

« *Nous sommes finalement toujours en exil. En Haïti aujourd'hui, il est peut-être plus dur de rester que de partir. Je dis comme Arenas, l'exil ce n'est pas aller à la recherche du bonheur, c'est avoir le droit de choisir nos malheurs.* »

Rodney SAINT-ÉLOI

3. Feulements et sanglots, *Port-au-Prince, Imprimeur II, 2001.*
4. Kasalé, *Port-au-Prince, Imprimeur II, 2003.*
5. *Agglomération de base de la communauté paysanne, avec des conditions de vie précaires et une économie de subsistance.*
6. L'heure hybride, *La Roque d'Anthéron, Vents d'ailleurs, 2005.*

Le jour où je suis devenue Sonia

Kettly Mars

J'ai commencé à être Sonia le jour où j'ai fait la connaissance de Bony chez des amis, à un anniversaire bourgeois d'un quartier comme il faut. On m'y avait invitée pour me changer un peu de l'insipidité dans laquelle me retenait un récent divorce sans douleur. Bony est le demi-frère un peu embarrassant de mes hôtes, une espèce d'enfant terrible, un maquereau au visage d'ange. Bony traîne la patte, un accident de moto. Bony racontait avec une candeur effarante la vie de ce bordel du bas de la ville, hérité de sa mère. La petite assistance l'écoutait en souriant jaune, mi dégoûtée, mi fascinée par cet entrepreneur d'un genre plutôt rare qui se foutait de leur opinion. Il disait sa vie, son commerce, ses emmerdes, son gagne-pain, pas pire qu'un autre. Moi je l'entendais de mes yeux, de mes oreilles, avec mes pores. Sonia bourgeonnant déjà dans mon être. Je le suivais à travers la demi-douzaine de chambrettes de l'étroite et vétuste bâtisse à deux étages, cuisant dans la canicule de la vieille ville. Les sanglots d'un *fado* chanté par Amalia Rodrigues attachés à nos ombres, je montais derrière son pas claudiquant les marches malaisées de l'hôtel. En l'écoutant dans ce salon, Sonia est entrée dans mon sang. Bony disait les serviettes volées par les clients qu'il fallait sans cesse remplacer, le quartier sans eau courante, le seau d'eau passé de cinquante centimes, du temps de sa Maternelle, à cinq gourdes ces jours-ci, les filles de plus en plus gaspilleuses et paresseuses, le métier qui se perdait quoi.

Je suis souvent Sonia, la pute du *Bony's* de la rue des Fronts Forts. Les passes de nuit me deviennent de plus en plus pénibles. Un besoin de dormir alourdit la moelle de mes os dès que tombe le soir. On ne croirait pas que la nuit a un poids, qu'il est plus lourd qu'un enfant de neuf mois dans le ventre. Les putains et les mourants le savent. Il ne faut pas jouer avec la nuit. Deux ou trois clients vite fait pendant la journée, ça va encore. En général des hommes mariés, des employés de commerce du bas de la ville. Ils se faufilent tels des courants d'air entre les deux battants de l'entrée de l'hôtel. Des battants montés sur des ressorts, ils s'ouvrent sur le dedans ou le dehors et continuent leur danse après le passage d'un visiteur. Ces hommes sont de bons clients, anxieux, pressés. Ils viennent chercher entre mes cuisses un bonheur expéditif avant de regagner l'innocence et l'ennui de leurs foyers. Je ne tiens plus la nuit, je crains les mâles qui durent, durent parce qu'ils ont trop de clairin derrière le front. Leur sexe anesthésié devient une lame qui me brûle comme le feu. Bony l'a compris. Il s'en remet de plus en plus à moi pour faire marcher l'hôtel, motiver les filles. Une façon de compenser ma baisse de performance.

Suis-je meilleure que toi Sonia ? Moi qui ne faisais plus que semblant depuis si longtemps. Il fallait que Raymond me quitte et épouse cette autre femme pour devenir vraiment mon amant. L'amoureux que je ne connaissais pas. Il me mange dans les mains aujourd'hui. Me donne tout ce que je lui demande. Je suis sa maîtresse, nous vivons une sorte d'adultère légal puisque j'ai été sa conjointe. Il croit me connaître mais je suis autre. Autre parce que libre à présent. Parce que Sonia m'habite tout entière. Je me souviens encore de ce matin où tu m'as annoncé que tu partais. Un dimanche, Raymond. Comme si c'était un jour décent pour quitter sa femme. Mais je suis devenue libre de cette même blessure qui n'a jamais saigné. Le fer rouge de la défaite a du coup cautérisé ma plaie. Tu n'avais pas le droit de me quitter, Raymond. J'étais la plus forte de nous deux. Tu n'étais rien de plus qu'un meuble de mon décor, un meuble utile. Tu le savais. Tu m'as défiée. J'ai fait de toi mon esclave, plus que jamais attaché à mon lit, à mon indifférence, à ma sollicitude et mes caprices. Je ne t'embrasse toujours pas sur la bouche mais je t'apprends un plaisir que tu n'as jamais connu. On ne se défait pas facilement de Sonia, la putain aux pieds maigres.

Kettly MARS

Extrait de la nouvelle inédite « Fado », publié avec l'aimable autorisation de Kettly Mars.

Gary Victor, un fou dans un monde renversé

Philippe Bernard*

Gary Victor est né le 9 juillet 1958 à Port-au-Prince. Replaçons ce moment dans l'histoire : c'est le tout début de la période Duvalier, qui va durer vingt-neuf années en tout. Son père est professeur de sociologie et écrit quelques excellents ouvrages critiques qui feront référence, dans lesquels il développe sa vision de la société haïtienne, en dehors de toutes préoccupations officielles. Sa mère est fille de paysans de la région de Cayes, elle fait ses études à Port-au-Prince. Gary grandit dans une famille unie. À la fin de ses études secondaires, il choisit la voie de l'agronomie pour acquérir une bonne connaissance de son pays, lui qui ne connaissait que Port-au-Prince. Il y a longtemps que la passion d'écrire le tenaille. À treize, quatorze ans déjà, il se plaît dans la rédaction de contes et de courtes nouvelles. Même si ces premières œuvrettes ne connaîtront jamais l'édition, le virus de l'écriture est solidement implanté. Dès 1986, Gary Victor obtient une place de chroniqueur au journal *Le Nouvelliste*. Avec sa rubrique quotidienne « Sur la corde raide », il aborde librement les problèmes de société. Il commence aussi à y publier des nouvelles.

La radio, en l'occurrence *Radio-Métropole*, s'intéresse aussi à son talent dès le printemps 1992. Gary reprend alors son personnage de roman Albert Buron (créé en 1981 dans le roman *Albert Buron ou l'art d'être intellectuel*), qui fait l'objet d'une première apparition radiophonique. Mais Gary Victor, ne supportant pas la situation à la suite du coup d'État militaire de septembre 1991, part pour le Canada pour un exil volontaire d'août 1992 à 1996. Il prend alors le temps d'écrire une longue nouvelle intitulée *Le sorcier qui n'aimait pas la neige*, puis un recueil de nouvelles portant ce même titre. Peu attiré par le pays d'accueil, il rentre au bercail et revient à *Radio-Métropole* pour reprendre la saga d'Albert Buron, son personnage phare. C'est un succès populaire phénoménal, qui fustige l'attitude des intellectuels (ou prétendus tels) haïtiens et met au jour leurs jeux d'apparence et leurs manipulations. Le tout dans la lignée de l'humour de Justin Lhérisson, la critique sociale caricaturale, une sorte de *Guignols de l'info* en réellement caustique.

Un détail, mais qui a son importance : Gary Victor est aussi un redoutable joueur d'échecs. Il a été champion national en Haïti et participé aux Olympiades d'échecs ; et, à ce titre, il a beaucoup plus voyagé sur la planète qu'en tant qu'écrivain invité aux colloques internationaux. Et, n'en déplaise à sa grande simplicité, il reçoit de la République française la décoration de chevalier de l'Ordre national du Mérite en 2003, pour la valeur de son œuvre publiée en langue française.

---

* *Docteur en Littérature comparée, Philippe Bernard est actuellement enseignant à Monaco. Auteur de Rêve et littérature romanesque en Haïti (Paris, L'Harmattan, 2005), de Métamorphoses, ouvrage sur le travail des « Bosmetal » en Haïti (Vents d'ailleurs, 2005), il a également publié un roman, Graal Pacifique (Nantes, Le Petit Véhicule, 2004).*

Gary Victor (en compagnie de Gisèle Pineau) © Cultures Sud

Mais revenons à la littérature, l'imaginaire de Gary Victor est son vrai moteur ; pour lui, c'est la seule solution pour une évasion de ce monde d'enfermement et de manipulation. En Haïti, l'homme de la rue, dit-il, n'a aucune chance, au milieu du désordre ambiant, d'accéder à la moindre parcelle de vérité sur laquelle s'appuyer, à partir de laquelle réfléchir. Il n'a donc aucune possibilité de comprendre la réalité. De ce constat, Gary Victor exploitera le personnage du « *fou* » dans toute son œuvre romanesque. Car le fou est justement celui qui est dans la réalité. Et les romans vont se suivre à une bonne cadence. Le tout premier est *Clair de Manbo*, paru en 1990 à Port-au-Prince chez Deschamps. C'est le déclic, la mise en orbite de son univers onirique. En 1992, *Un octobre d'Elyaniz*[1] (écrit en pleine période de dictature) reprend les aventures de Sonson Pipirit. Il existe bien une sorte de filiation entre ce dernier et Albert Buron, mais alors qu'Albert Buron se confine dans son jus de médiocre professionnel, se complaît dans l'art de stagner, Sonson Pipirit

---

1. *Port-au-Prince, Imprimeur II, 1992.*

En Haïti, l'homme de la rue n'a aucune possibilité de comprendre la réalité.

Des romans délirants dont l'ingrédient de base est l'humour, un regard décalé sur l'état de son propre pays.

évolue parce qu'il ne craint pas de se remettre en cause, de voyager en terrain miné, et même d'affronter les dieux avant de revenir sereinement à la réalité.

En 1996, paraît donc chez Deschamps un énorme roman, *La Piste des sortilèges*[2], qui voit encore ce même héros, Sonson, aux prises cette fois avec les créatures du vaudou alors qu'il est en quête de son ami fraîchement assassiné, qu'il veut ramener coûte que coûte au monde des vivants. 1998, il est temps de débusquer *Le diable dans un thé à la citronnelle*[3], en 2000 il est urgent de se donner rendez-vous *À l'angle des rues parallèles*[4], roman qui vient de paraître à Port-au-Prince et dont le titre résume, avec un humour acide, la situation exacte d'Haïti à cette époque. À l'occasion du Salon du livre de Cayenne en 2001, Gary Victor rencontre l'éditrice Jutta Hepke. C'est le début d'une riche collaboration avec *Je sais quand Dieu vient se promener dans mon jardin (2004),* puis *Les cloches de la Brésilienne* (2006), qui sont édités directement chez *Vents d'ailleurs.* Gary Victor se trouve actuellement en résidence d'écriture à Montpellier, où il met la dernière main à ce qu'il appelle un « *gros livre* ».

Voilà donc pour les romans, mais Gary Victor est aussi un auteur de pièces de théâtre. Citons entre autres *Anastase*, qui est une adaptation de son roman *À l'angle des rues parallèles*, mise en scène par Daniel Marcelin comme, d'ailleurs, cette même année 2001, une pièce de boulevard, *Le jour où l'on vola ma femme.* En 2003, sort *Nuit publique*, une pièce sur la solitude du couple, et tout récemment, en 2006, *La reine des masques*, dont la mise en scène est assurée cette fois par Albert Moléon. Ce catalogue ne serait pas complet sans évoquer aussi le travail effectué pour la télévision, une série intitulée *Piwouli*, du nom d'une sucrerie locale, sur *Télé-Max*.

Un homme très pris, très actif et pourtant très disponible. Gary a bien l'allure du pilier de rugby, il en a aussi la solide poignée de main. Son rire est franc et sonore. Il écrit des romans délirants dont l'ingrédient de base est l'humour, un regard décalé sur l'état de son propre pays, mais c'est surtout un auteur plein d'espoir qu'il est urgent de lire et de faire connaître.

Philippe BERNARD

---

2. La Roque-d'Anthéron, Vents d'ailleurs, 2002.
3. La Roque-d'Anthéron, Vents d'ailleurs, 2005.
4. La Roque-d'Anthéron, Vents d'ailleurs, 2003.

Gary VICTOR

Les cloches de La Brésilienne

La Roque d'Anthéron, Vents d'ailleurs, 2006, 224 p.
16 €

Si l'inspecteur Dieuswalwe Azémar débarque dans cette bourgade étrangement baptisée La Brésilienne, ce n'est pas de gaieté de cœur. On l'a envoyé là-bas régler un problème improbable : quelqu'un aurait volé le son des cloches. Et ça ne saurait tomber plus mal car la fête patronale est imminente et cette fête sans les cloches sonnant à toute volée, c'est tout simplement impensable. Azémar a été dépêché dans ce trou de campagne pour résoudre l'énigme, il s'y attelle donc. Azémar serait en fait une sorte d'inspecteur Columbo à la tenue encore plus négligée, porteur jour et nuit de lunettes noires car il faut toujours avoir l'air de ce que l'on est réellement, extrêmement porté sur le rhum mais se servant de ce breuvage pour s'éclaircir les idées qu'il a fort embrouillées en période sobre. Gary Victor ne nous avait pas préparés à la réception d'un polar tropical, mais le coup d'essai sonne juste, infiniment mieux, faut-il le dire, que ces cloches désespérément muettes.

N'allez pas chercher dans ce roman truculent une piste quelconque : « *Comme tout Haïtien, ce dernier ne faisait aucun cas de la logique la plus élémentaire* »..., laissez-vous mener par cet inspecteur têtu et fouineur qui veut comprendre.

Il va se heurter dans sa quête à bien des méchants qui souhaitent le trucider ou, au moins, lui faire assez peur pour qu'il rentre à la ville... là-bas, loin..., mais non. Azémar Dieuswalwe s'accroche et pénètre dans le mystère. Lefenec – un prêtre à l'odeur forte et à la bretonnitude affirmée, portant ensemble soutane et Beretta 7,65 avec une même assurance, va l'aider. Enfin... rien n'est moins sûr ! L'affaire prend rapidement un sale tour politique et Azémar se retrouve en plein règlement de comptes entre les notables du coin. Il y aura, inévitablement, une Dominicaine dans cette histoire, elle s'appellera Mireya. Depuis la Niña Estrellita de *L'espace d'un cillement*, d'Alexis, le personnage de la gentille prostituée dominicaine a fait long feu dans le roman haïtien. Mais un petit réconfort ne se refuse pas, d'autant que la situation se complique du fait des agissements insaisissables d'un certain Al Quaida, un fou, disent les uns... mais dans une histoire de fous, c'est normal qu'il y ait un premier rôle ! « *Quand on est dans la déraison, il vaut mieux y aller franchement, sans fausse honte* » (p. 45), et sur ce point au moins, on va pouvoir compter sur Al Quaida !

Les histoires d'amour – les vraies, celles qui comptent, qui laissent des traces – viendront peu à peu embrouiller l'intrigue, oblitérer jusqu'à l'ombre de la quête ; les psaumes beuglés par les pasteurs états-uniens, au rôle plus que louche dans cet endroit paumé, iront rebondir contre des hymnes jaillis des *hounforts* vaudous ; des scènes d'amour atteindront la lévitation bien au-dessus d'un mapou pourtant géant ; toute la clef de cette histoire labyrinthique tiendrait-elle dans le chant d'un ortolan ?

Une petite fille agile s'enfuit une fois de plus vers le haut des mornes, avec une calebasse bien serrée entre ses mains.

Il est temps pour l'inspecteur d'avaler un long trait de *tranpe*, un truc à vous arracher la gorge mais un bon carburant pour les méninges. Les petites filles charrient de lourds secrets.

Il est temps de jeter les lunettes noires aux orties. Et la lumière, soudain, est.

Philippe BERNARD

3

Maghreb

Photographie de la série « Histoires de femmes » exposée à l'occasion des VIes rencontres africaines de la photographie, Bamako 2005.

Littératures francophones du Maghreb : les années 2000

Khalid Zekri*

Il a souvent été d'usage de considérer les auteurs issus du Maghreb comme faisant partie d'un seul et même champ littéraire. Le regretté Jean Déjeux (qui a surtout le mérite d'avoir établi des bibliographies très riches sur les auteurs du Maghreb) a intitulé, à juste titre, son ouvrage le plus important *Maghreb. Littératures de langue française*[1]. Le pluriel est ici nécessaire parce que, malgré les questionnements communs aux littératures francophones algérienne, marocaine et tunisienne, il y a des particularités thématiques à chacune d'entre elles, sans oublier le fonctionnement de chaque champ littéraire indépendamment de l'autre. La fiction d'un « *champ littéraire maghrébin* » participe certainement d'une volonté d'écrire une histoire commune, mais elle se heurte aux réalités des textes qui dessinent une autre cartographie littéraire du Maghreb.

Continuité et renouveau

Ces seize dernières années, les littératures francophones du Maghreb insistent plus qu'avant sur le retour du refoulé, les destins individuels, une prise de conscience de la parole féminine et des personnages en quête de survie qui luttent pour être reconnus comme sujets à part entière. Tout cela est incontestablement lié au difficile rééquilibrage que les peuples du Maghreb tentent dans leur expérience face à la modernité et aux nombreux changements que le monde a connus depuis l'effondrement des pays de l'Est et l'affirmation croissante de la mondialisation. Sans vouloir être restrictif, disons que la littérature algérienne raconte, essentiellement mais pas exclusivement, la tragédie de la guerre civile ; la littérature marocaine est davantage préoccupée par la narration d'un quotidien de plus en plus difficile à vivre et la littérature tunisienne continue de poser, mais avec moins d'intellectualisme, la question de l'identité culturelle du sujet tunisien, souvent sur fond d'histoires d'amour. Les thèmes qui traversent ces littératures sont aussi liés à la très relative liberté de parole que le Maghreb a connue depuis 1990. La conjoncture géopolitique n'a pas inventé ces thèmes. Elle n'a fait que permettre leur mise en forme narrative et leur circulation dans l'espace littéraire de chacun des pays du Maghreb.
C'est ainsi que les œuvres littéraires, déjà sous l'emprise du réel, vont être surdéterminées par l'écriture de soi et la mise en intrigue du référentiel. Les romanciers,

* *Professeur de littérature à la Faculté de lettres de Meknès, Khalid Zekri est l'auteur de plusieurs articles et ouvrages consacrés aux littératures francophones du Maghreb. Très récemment, il a publié* Fictions du réel. Modernité romanesque et écriture du réel au Maroc, *Paris, L'Harmattan, 2006. Il est également chercheur au CENEL-Université de Paris XIII.*

1. *Paris, Éditions Arcantère, 1993.*

Raconter le drame d'une jeunesse qui aspire à une vie décente sans pouvoir réaliser ce désir.

les poètes, les nouvellistes et les dramaturges du Maghreb sont, chacun à leur manière, en quête de personnages-sujets considérés comme acteurs sociaux doués d'une capacité d'agir avec autonomie dans un contexte socio-culturel où le droit à la subjectivité reste problématique. Ce droit est problématique non seulement à cause de la tradition qui donne une prééminence aux arguments d'autorité, mais aussi à cause des châtiments qui frappent toute tentative de *singularisation* par rapport à la communauté. Le sujet écrivant constitue, par là même, une parfaite illustration de la difficulté de dire sa singularité dans une société qui résiste à toute tentative d'individualisation. C'est ce que nous constatons au Maroc chez Mohammed Leftah, Fouad Laroui, Abdallah Taïa, Mahi Binebine, Nadia Chafik, Rajae Benchemsi, Driss C. Jaydane, Mustapha Bouignane et Souad Bahéchar ; en Algérie chez Maïssa Bey, Salim Bachi, Abdelkader Djemaï, Mustapha Benfodil, Leïla Marouane, Sofiane Hadjadj (également fondateur, avec Selma Hellal, de l'excellente maison d'édition Barzakh, en 2000 à Alger), Anouar Benmalek et Mourad Djebel ; en Tunisie chez Ali Bécheur, Tahar Bekri, Amina Saïd, Chams Nadir, Azza Filali, Fawzia Zouari, Boubaker Ayadi, Slaheddine Haddad, Cécile Oumhani, Ali Abassi, Ilhem Ben Miled et Nine Moati.

Cette liberté d'expression, aussi relative soit-elle, est également perçue à travers la dénonciation des travers qui rongent aujourd'hui les pays du Maghreb, comme en témoignent des textes tels *Ben Brik, Président* suivi de *Ben Avi la momie* et *Inchallah le bonheur*[2], *Sous le jasmin la nuit* et *Sens Interdits*[3], *Ma Boîte noire* et *Maroc, éclats instantanés*[4].

Les littératures du Maghreb se sont également emparées du thème de l'immigration clandestine pour raconter le drame d'une jeunesse qui aspire à une vie décente sans pouvoir réaliser ce désir. Un nouveau personnage, le Harrag, qui signifie littéralement « brûleur », a fait son apparition dans le roman. *Cannibales*[5], qui rappelle un chapitre des *Essais* de Montaigne portant le même titre, et met en intrigue le destin tragique de Kacem Djoudi, Pafadnam, Yarcé, Youssef, Réda et Azouz, le narrateur, venus de différents pays pauvres. Ils se sont retrouvés à Tanger dans l'objectif de « *brûler* », c'est-à-dire traverser le détroit de Gibraltar pour s'installer dans un pays européen, en l'occurrence la France. Il en va de même pour Harraga de

---

2. *Respectivement : Tawfik Ben Brik, Paris, Exils éditeur, 2003. et Ali Abassi, Tunis, Éditions. Sahar, 2004 (Tunisie).*
3. *Respec tivement : Maïssa Bey (pseudonyme de Samia Benameur), Éditions de l'Aube, 2004 et Mourad Djebel, Paris, Éditions La Différence, 2001 (Algérie).*
4. *Respectivement : Driss Ksikes, Paris/Casablanca, Le Grand Souffle/Tarik, 2006 et Maâti Kabbal, Paris, Le Grand Souffle, 2007.*
5. *Mahi Binebine, Paris, Fayard, 1999.*

En Algérie, la littérature est plutôt happée par le thème de la violence liée au terrorisme et à la guerre civile qui en a découlé.

Boualem Sansal, *French Dream* de Mohamed Hmoudane, *Tu ne traverseras pas le Détroit* de Salim Jay, *Clandestins en Méditerranée* de Fawzi Mellah et *Les Clandestins* de Youssouf Amine Elalamy[6], qui affichent dès le titre leur programme narratif. Ces récits ne s'inscrivent pas dans la logique du réalisme, mais plutôt dans une visée anthropologique qui restitue au sujet la singularité de sa parole. Le référent donne plus de visibilité à la misère du monde. Narrer les événements vécus par les candidats à l'immigration clandestine, c'est rendre leur visage présent au lecteur : c'est un appel à la responsabilité vis-à-vis de l'autre. Il s'agit ici de la catégorisation d'un fait comme événement discursif qui découle de la force des mots pour devenir un acte de langage. On n'est plus dans l'immanence de la production du sens, mais dans l'interférence et la consubstantialité du dire et du vivre.

Particularités littéraires

En Algérie, la littérature est plutôt happée par le thème de la violence liée au terrorisme et à la guerre civile qui en a découlé. Au début des années 1990, cette violence s'exprimait souvent dans l'urgence et s'inscrivait, par là même, dans le paradigme du témoignage non souvent stylisé. Mais depuis 2000, des œuvres comme *L'Enfant fou de l'arbre creux* de Boualem Sansal[7], L'Amour loup d'Anouar Benmalek[8], *Le Silence de la falaise* de Slimane Benaïssa[9], *La Soumission* d'Amin Zaoui[10] ou encore *Les Cinq et une nuits de Shahrazède* de Mourad Djebel[11] racontent la complexité de la violence terroriste en Algérie, à travers des récits paraboliques qui suggèrent la guerre civile sans tomber dans le dogme de la reproduction documentaire du réel. C'est ainsi que, dans le premier roman, le dialogue entre Pierre et Farid (deux bagnards condamnés à mort) sera l'occasion de mettre en scène les fantômes qui hantent l'Algérie d'aujourd'hui et de déconstruire certains aspects historiographiques de la guerre d'indépendance. Dans le second roman, la Palestinienne Nawal raconte à Chaïbane, jeune étudiant-ingénieur algérien, le drame de son frère et de son père, égorgés par une milice libanaise. Chaïbane

---

6. *Respectivement : Paris, Gallimard, 2005 ; Paris, La Différence, 2005 ; Paris, Mille et une nuits, 2002 ; Paris, Le Cherche midi, 2000 ; Casablanca, EDDIF, 2000.*
7. *Paris, Gallimard, 2000.*
8. *Paris, Pauvert, 2002.*
9. *Paris, Plon, 2001.*
10. *Marsa, Alger, 2001.*
11. *Paris, Éditions La Différence, 2005.*

découvre lui-même les drames meurtriers qui résultent du nationalisme, du fanatisme et de la vengeance. La violence polymorphe qui ronge l'Algérie est mise en scène dans le roman de Slimane Benaïssa en remontant aux racines du mal : la période qui a suivi l'indépendance de l'Algérie et qui a été marquée par le parti unique. La censure et la chasse aux intellectuels que le roman situe en 1976 est une métaphore de longue portée qui nous pousse à nous interroger sur la violence que l'Algérie connaît aujourd'hui. Amin Zaoui, auteur bilingue, célèbre la vie contre la violence et les méfaits d'un système archaïque qui ronge de l'intérieur une communauté vivant sous le joug de la transmission ancestrale. C'est un récit qui chante d'autres lendemains à travers une parole libre.

En Tunisie, c'est surtout les auteurs arabophones qui restent dominants dans le champ littéraire. L'écriture bilingue est pratiquée par plusieurs auteurs, contrairement aux champs littéraires algérien et marocain où la majorité des écrivains publie dans une seule langue[12]. Quelques auteurs tunisiens francophones arrivent cependant à conquérir la reconnaissance du public : c'est le cas des poètes Tahar Bekri (*Chant du roi errant*[13]), Amina Saïd (*La Douleur des Seuils*[14]) et Slaheddine Haddad (*Parole dans l'ocre et le bleu*[15]) ; des romanciers Anouar Attia *(Hayet ou la passion d'Elles*[16]), Emna Belhaj Yahia (*Tasharej*[17]) et Ali Bécheur (*Tunis Blues*[18]). Le thème de l'amour sert souvent de toile de fond pour raconter la Tunisie d'aujourd'hui. C'est ainsi qu'Ali Bécheur superpose dans *Tunis Blues*[19] cinq personnages, Jimmy (appelé aussi Jamel), Ismaël, Choucha, Elyssa et Lola qui, à travers leurs voix, donnent une vue globale et incisive sur le quotidien des Tunisiens dans une société tiraillée entre ses repères traditionnels et la culture occidentale, ce qui suscite en elle l'incertitude et la crainte du déracinement. Dans *Les Belles de Tunis*[20], la romancière tunisienne juive Nine Moati raconte le vécu de trois femmes juives en Tunisie tout en faisant leurs portraits. Ces femmes

---

12. *Au Maroc, Abdelfattah Kilito reste l'exemple de l'écrivain parfaitement bilingue et en Algérie c'est Amin Zaoui qui semble le mieux représenter cette catégorie d'écrivains.*
13. *Paris, L'Harmattan, 2005.*
14. *Paris, Éditions La Différence, 2002 (coll. Clepsydre).*
15. *Tunis, Cérès éditions, 2002.*
16. *Tunis, Cérès éditions, 2002.*
17. *Paris, Éditions Balland, 2000.*
18. *Paris/Casablanca/Léchelle, Éditions Maisonneuve et Larose/Tarik éditions/Éditions Emina soleil, 2002 (coll. Zellige).*
19. *Tunis, Éditions Clairefontaine, 2002. Cet auteur ainsi qu'Anouar Attia et le Marocain Mohammed Leftah constituent des exemples qui attestent que la notion de « génération littéraire » ne doit pas être liée à l'âge des auteurs, mais plutôt à leur entrée dans le champ littéraire. « Nouvelle génération » signifie dans ce cas : nouveaux entrants qui ont des liens de parenté littéraires, à savoir des obsessions, les mêmes thématiques et des modalités d'écriture nouvelles, voire parfois inédites.*
20. *Monaco, Le Rocher, 2004.*

Le potentiel subversif de ces textes réside dans leur capacité à déjouer la censure.

appartiennent à trois générations différentes, mais des constantes culturelles les rapprochent malgré la distance temporelle qui les sépare.

La littérature marocaine, quant à elle, développe depuis 1995 (date de la publication du premier roman entièrement consacré au désir homosexuel) le thème de l'homosexualité[21] à travers une rhétorique du trouble. Aussi bien les personnages que les stratégies narratives mises en textes constituent un acte politique à travers le pouvoir sous-jacent aux préférences sexuelles opposées aux masques socioculturels qui garantissent l'hétéronormativité. Des auteurs comme Karim Nasseri, Nedjma (pseudonyme), Rachid O., Abdellah Taïa, remettent en question cette hétéronormativité, non seulement sur le plan sexuel, mais aussi politique et textuel. Les récits qui mettent en scène le désir homosexuel déconstruisent l'ordre masculin condensé dans le vocable *homme*, consubstantiellement lié à la virilité. Dans *Chocolat chaud*[22] de Rachid O. (initiale qui rappelle *La Marquise d'O.* de Heinrich von Kleist et *Histoire d'O* de Pauline Réage, pseudonyme de Dominique Aury), le narrateur met en relief les mécanismes de catégorisation du féminin par rapport au masculin. Le potentiel subversif de ces textes réside dans leur capacité à déjouer la censure, qui jette tout ce qui n'est pas normal hors du dicible et, donc, hors du champ social. En tant qu'actes de discours, ces récits s'inscrivent dans ce que Pierre Bourdieu appelle « un rite d'institution » et constituent, par là même, autant d'énonciations qui tirent leur force performative de la rupture avec leur contexte de production. Le dévoilement d'un autre interdit se développe massivement au Maroc depuis 2000 : c'est l'écriture du carcéral, qui nous permet d'entendre, sous forme de témoignages, la voix des anciens détenus politiques de la prison centrale de Kénitra, comme *La chambre noire* de Jaouad Mdiedech[23], *Le Couloir* de Abdelfattah Fakihani[24] et *Tyrannie ordinaire. Lettres de prison* de Driss Bouissef Rekab[25]. C'est le cas également des rescapés d'un bagne-mouroir connu sous le nom de Tazmamart qui nous font entendre leurs voix, avec ou sans médiateurs, à travers des témoignages comme *Kabazal, les emmurés de Tazmamart*[26] et

---

21. *Ce thème a déjà été développé dans les littératures du monde arabe, mais la date de 1995 renvoie à la publication du premier récit entièrement consacré à l'homosexualité :* L'Enfant ébloui *de Rachid O. Le sujet écrivant relate son expérience homosexuelle à travers un narrateur à la première personne du singulier. Il ne s'agit pas simplement de quelques séquences ou microrécits, mais tout le livre est consacré à ce thème. Cette remarque est également valable pour* Noces et funérailles *de Karim Nasseri (Denoël, 2001) et* L'Armée du salut *d'Abdellah Taïa (Seuil, 2006).*
22. *Rachid O., Paris Gallimard/L'Infini, 1998, p. 57-59.*
23. *Casablanca, EDDIF, 2000.*
24. *Casablanca, Éditions Tarik, 2005.*
25. *Casablanca, Éditions Tarik, 2005.*
26. *Récit-témoignage du couple Hachad rédigé et publié par Abdelhak Serhane, Casablanca, Éditions Tarik, 2004.*

Le corps de la femme est soumis à une technologie du pouvoir social à travers la censure de son désir et le silence qui lui est imposé.

Tazmamart, Cellule 10[27] ou des romans comme *Cette aveuglante absence de lumière* de Tahar Ben Jelloun. Ces textes mettent le doigt sur l'arbitraire et l'autoritarisme qui ont sévi au Maroc depuis son indépendance.

Il en va de même pour tout ce qui s'inscrit dans les marges des sociétés du Maghreb, à commencer par le corps, qui relève de leur *impensé* culturel. Le corps de la femme – tel qu'il est représenté par des écrivains comme Cécile Oumhani, Emna Belhaj Yahia[28] (Tunisie), Rajae Benchemsi, Souad Bahéchar[29] (Maroc), Maïssa Bey et Malika Mokeddem[30] (Algérie) – est soumis à une technologie du pouvoir social à travers la censure de son désir et le silence qui lui est imposé par le système phallocratique. Ce n'est cependant qu'à partir des années 1990 que le Maghreb a connu une « *éclosion* » de textes écrits par des femmes écrivains. Cela est lié essentiellement à la liberté d'expression qui a commencé à se mettre en place lentement à travers la presse écrite et audiovisuelle, au nombre croissant des partis politiques autorisés par l'État et à l'émergence d'une société civile active dans tous les domaines, et surtout ceux qui concernent l'alphabétisation et la défense des droits humains, même s'il reste encore beaucoup d'efforts à déployer. La thématique développée par ces auteurs s'articule souvent autour des rapports hommes/femmes ; rapports le plus souvent difficiles du fait que la femme est constamment sous-estimée, voire mise sous tutelle permanente. *Sang et jasmin*[31] de l'Algérienne Leïla Hammoutène, *Le Cénacle des solitudes*[32] de la Marocaine Bouthaïna Azami-Tawil et *La Retournée*[33] de la Tunisienne Fawzia Zouari mettent en scène un rapport conflictuel avec une société régie par un système phallocratique qui exerce sa domination masculine sur la femme en la considérant comme être mineur.

Khalid ZEKRI
Université de Meknès/CENEL

27. *Ahmed Marzouki Paris/Casablanca, Paris-Méditerranée/Tarik, 2000. (Réédité dans la « collection Folio », Gallimard, 2002).*
28. *Respectivement :* Un Jardin à la Marsa, *Paris, Éditions Paris-Méditerranée, 2003 et Tasharej, Paris, Balland, 2000.*
29. *Respectivement :* La Controverse des temps, *Paris, Éditions Sabine Wespieser, 2006 et* Le Concert des cloches, *Casablanca, Éditions Le Fennec, 2005.*
30. Surtout ne te retourne pas, *Éditions de L'Aube, 2005 et* N'Zid, *Seuil, 2001.*
31. *Paris, Éditions Marsa, 2001.*
32. *Paris, L'Harmattan, 2004.*
33. *Paris, Éditions Ramsay, 2002.*

Salim Bachi : portrait d'un artiste du verbe

Khalid Zekri

Né à Alger en 1971, Salim Bachi a passé son enfance et son adolescence dans la ville d'Annaba, où il a fait des études supérieures de lettres avant de venir en France poursuivre ses études de troisième cycle à la Sorbonne. Il a soutenu un mémoire de DEA sur André Malraux. À Annaba, il était d'abord dans une école primaire publique avant de faire des études secondaires dans une école française. C'est en 1995 qu'il est arrivé pour la première fois en France. En 1996, il revient à Annaba, pour y rester une seule année, avant de repartir « *définitivement* » pour Paris en 1997. C'est, pourrait-on dire, l'itinéraire d'un mutant, comme il y en a tant en Algérie depuis ces seize dernières années.

C'est avec la poésie que Salim Bachi commence son aventure littéraire. Côté prose, Faulkner fait partie des auteurs qui ont le plus compté pour lui. D'autres textes l'ont également marqué : *Nedjma* de Kateb, *Ulysse* de Joyce, *Salammbô* et *L'Éducation sentimentale* de Flaubert, pour ne citer que ceux-là. Il a toujours écrit des textes courts qui lui ont servi par la suite à composer *Le Chien d'Ulysse*[1], son premier roman. La récupération d'un matériau narratif déjà esquissé est devenue une pratique essentielle dans la mise en forme de ses récits. Sans réduire sa création à cette pratique, disons qu'elle participe à la construction de son œuvre car Salim Bachi, contrairement à la plupart des auteurs de sa génération, n'écrit pas seulement des textes : il construit au fil de chaque livre une véritable œuvre artistique verbale. Il y a, en permanence, un va-et-vient entre *Le Chien d'Ulysse*, *La Kahéna*[2], *Autoportrait avec Grenade*[3], *Les Douze contes de minuit*[4] et, dans une moindre mesure, *Tuez-les tous*[5]. Les deuxième et cinquième romans ont été publiés dans l'ordre chronologique de leur écriture. Les autres sont le fruit d'un croisement entre plusieurs textes rédigés à différentes dates.

L'auteur commence d'abord par poser l'idée générale de son roman et le plan vient au moment où l'écriture commence. C'est en écrivant que l'idée prend forme et donne lieu à des ramifications qui, par la suite, constituent la charpente narrative de chacun de ses récits. L'idée qui revient comme une obsession est commune aux auteurs algériens depuis 1990, date qui correspond au déchirement de l'Algérie par le terrorisme et la guerre civile qui s'en est suivie. Il déconstruit, avec un matériau littéraire, les faux mythes que les discours idéologiques tentent d'imposer à l'imaginaire collectif de toute une nation.

---

1. *Paris, Gallimard, 2001, 258 p.*
2. *Paris, Gallimard, 2003, 309 p.*
3. *Monaco, Le Rocher, 2005, 189 p.*
4. *Paris, Gallimard, 2007, 191 p.*
5. *Paris, Gallimard, 2006,133 p.*

Salim Bachi

Dès *Le Chien d'Ulysse*, l'Algérie contemporaine est abordée à travers une lecture des mythes historiques véhiculés par l'historiographie officielle, notamment le mythe du *Moudjahid*, qui contient une grande part de vérité historique mais qui a également été instrumentalisé à des fins non patriotiques. Ces questions historiques n'altèrent en rien la valeur littéraire du roman, qui reste un espace où l'imaginaire se déploie avec des matériaux propres à la littérature. Cyrtha, dans laquelle le récit évolue, est une ville imaginaire qui rappelle *Le Rivage des Syrtes*, cette autre géographie imaginaire de Julien Gracq. La mémoire littéraire est aussi convoquée à travers les déambulations de Hocine dans les rues de Cyrtha, qui rappellent les tribulations de Bloom dans l'*Ulysse* de James Joyce. L'histoire racontée dans *Le Chien d'Ulysse* ne dure, par ailleurs, pas plus d'un jour, à l'instar de celle d'*Ulysse*, qui commence le jeudi 16 juin 1904 à huit heures du matin et se termine à trois heures de la nuit.

On retrouve cette condensation temporelle dans un autre roman. En effet, les événements racontés dans *La Kahéna* s'étendent sur trois nuits. Ce roman est marqué par la pratique scripturale de l'ambiguïté. L'histoire de ce personnage mythique qu'est la Kahéna reste ambiguë dans l'imaginaire collectif algérien.

Salim Bachi dit l'opacité et la complexité de la tragédie algérienne à travers des constructions discursives hétérogènes.

Ce titre produit chez le lecteur un horizon d'attente que le texte trahit, puisque le nom de cette reine juive/berbère/résistante désigne en fait la maison construite à Cyrtha par Louis Bergagna, un colon aventurier. Dès le titre, la filiation littéraire est déclarée. La Kahéna, en tant que nom, renferme un flou identitaire et mythique qui renvoie, par analogie, aux filiations et alliances ambiguës du personnage Louis Bergagna.

Tuez-les tous, roman sur le 11 septembre, est ponctué par une vingtaine de citations coraniques. Celles-ci jouent une fonction centrale dans l'élaboration esthétique du récit, essentiellement à cause de l'ambiguïté sémantique qu'elles contiennent. Le personnage central est un terroriste, autant dire un antihéros. Le narrateur nous permet de nous approcher de ce personnage pour prendre connaissance de ses pensées quelques heures avant son passage à l'acte. Le titre rappelle cette célèbre phrase qui, de manière suggestive, résonne en sourdine dans les oreilles du lecteur : « *Tuez-les tous et Dieu reconnaîtra les siens !* » Cela fait écho à l'ambiguïté du mythe officiel constitutif de l'identité algérienne dans le refus de la pluralité au profit du monolithisme.

Les textes de Salim Bachi s'inscrivent dans la filiation des auteurs qui ont brisé les chaînes doxologiques de la tradition et ont pu, par-là même, se libérer de la syntaxe normative et accéder à une grammaire *singulière* de la création. La syntaxe narrative produit dans ses récits un effet d'éclatement qui détourne la langue de sa fonction communicative en déstructurant sa cohérence grammaticale. Par un usage singulier des mots et de la syntaxe, il affiche son scepticisme vis-à-vis du langage. Ce scepticisme est d'ordre moral et participe d'une écologie de la conscience qui pointe les limites de la langue littéraire normative. Salim Bachi dit l'opacité et la complexité de la tragédie algérienne à travers des constructions discursives hétérogènes. Sa langue littéraire est parfois confrontée au paradoxe de la transmission de l'incommunicable, de la représentation de l'inénarrable : ici la représentation se dérobe à la langue.

Khalid ZEKRI

Salim BACHI
Les douze contes de minuit
Paris, Gallimard, 2007, 192 p.
15,90 €

Les Douze contes de minuit est un livre d'artiste. Salim Bachi, égal à lui-même et toujours fidèle à son ton corrosif, raconte dans ce recueil de nouvelles l'Algérie d'aujourd'hui. Cette Algérie est évoquée, en tant qu'espace narratif, à travers la métaphore topologique de Cyrtha, ville mythique qui revient de manière obsédante dans trois autres livres de Salim Bachi : *Le Chien d'Ulysse*, *La Kahéna* et *Autoportrait avec Grenade*.
Ce qui frappe le lecteur dans l'architecture globale de ce recueil de nouvelles, c'est la profusion d'une sémantique négative.
Les nouvelles intitulées « Le vent brûle » (p. 9-18), « Le naufrage » (p. 29-34), « Enfers » (p. 77-96), « Histoire d'un mort » (p. 97-118), « Le bourreau de Cyrtha » (p. 119-144) s'inscrivent dans le champ sémantique de la perte qui nécessite un travail de deuil.
Le sang s'impose dès la première nouvelle : « *La pauvre femme avait eu la gorge tranchée : son sang avait imbibé sa robe.* »
Gardons-nous de toute mauvaise interprétation : Salim Bachi ne fait pas dans le voyeurisme sanguinaire et gratuit.
Il diagnostique un mal et livre au lecteur le résultat de ses réflexions sous une forme fictionnelle.
Le sang révèle ici l'angoisse du narrateur qui, à son tour, sera saisi par la peur d'être pris dans la tourmente. Le doute et la dérision ne sont guère loin puisque celui-ci, dans la nouvelle intitulée « Palabres », va jouer au négationniste par rapport au drame algérien : « *Tu m'emmerdes, ça n'existe pas...* » (p. 71). La ponctuation, à l'instar des propos tenus, est elle-même déréglée, saccadée, déstructurée. C'est ce qui fait justement de ce recueil un livre d'artiste. Le langage – ses limites et ses potentialités à se rapprocher de l'indicible, à transmettre le terrible et le tragique – reste au centre de ce recueil. Salim Bachi a réussi avec brio l'alternance entre une langue littéraire et une autre vernaculaire. Aller de l'une à l'autre n'est pas un choix, mais une nécessité, une mise en forme des voix qui traversent les différentes nouvelles. La voix est le maître mot. L'auteur est à l'écoute des voix de ses personnages et narrateurs.
Si l'homme est capable du pire, s'il renferme des potentialités terrifiantes dans les plis de son humanité, alors il n'est point nécessaire de se laisser piéger par la fausse transparence de son langage. La mort est assimilée à un long sommeil, tellement elle a été banalisée.
Dans la nouvelle intitulée « Le Messager », Imtihane, personnage central au prénom symbolique qui signifie *examen*, est en situation d'incompréhension face à une machine qui « *ne le renseignera pas sur les mobiles de sa mission. Tout le monde le sait, les machines ne discutent pas. Les machines travaillent. Lui-même, a-t-il jamais rien accompli d'autre ?* » (p. 21).
Ce motif permet de mettre Imtihane face à lui-même : « *il se voit dans le miroir* » et découvre les traces du temps sur son corps. Ce personnage est un fonctionnaire d'une banque à Cyrtha. Il va prêter « *aux riches, aux pistonnés, aux dignitaires du régime* » (p. 21).
Dès le début du « Messager », le ton est donné. Le lecteur comprendra par la suite que le drame qui ronge l'Algérie est beaucoup plus complexe que la simple opposition intégristes/démocrates.
Cette complexité, qui donne des cauchemars à Imtihane, trouve ses origines dans la mythification même des récits fondateurs de l'Algérie.
Salim Bachi a forgé sa langue littéraire et a su donner une singularité à sa création verbale. L'étrangeté de sa langue provient surtout d'une permanente réflexivité qu'il développe au fil de chacun de ses textes. Salim Bachi a son propre idiolecte, qui continue de résonner dans *Les Douze contes de minuit*, recueil de nouvelles qui peut tout aussi bien être lu comme un roman, tant sa composition est solidement régie par un souffle long.

Khalid ZEKRI

Souad Bahéchar, à fleur de mots

Assia Belhabib*

Les romans de Souad Bahéchar sont à l'image de leur auteur : froids et sans complaisance en apparence, dénonçant les travers de la société qui dépassent les frontières marocaines ; secrets et sensibles à la souffrance humaine quand le lecteur attentif prend le temps de sonder cette écriture hyperbolique. Car les romans de Bahéchar sont, malgré le respect des règles du genre, des poèmes en prose où chaque mot, chaque signe peut devenir à lui seul un programme de lecture. Cela tient sans doute à la formation d'archéologue de l'écrivain – qui traque le détail vrai pour le faire remonter à la surface délicatement, sans déflorer la part de mystère qui est en lui – et à ses études en art, qui lui donnent ce regard double capable de capter l'œuvre dans son ensemble et de la disséquer sans ménagement jusqu'à ciseler le terme juste, la tonalité précise, sans jamais céder au dogmatisme ou à la tentation du stéréotype. Fine observatrice, Souad Bahéchar choisit de renoncer à son poste de conservateur de musée après la consécration par le prix Grand Atlas, qui couronne le succès de son premier livre, pour se consacrer uniquement à l'écriture. C'est dire que – contrairement aux nombreux écrivains marocains qui conjuguent au présent écriture et profession, rappelant qu'il n'est guère possible de vivre que de ses livres – Bahéchar fait le pari d'être écrivain à temps plein. La genèse est lente et prend pour point de départ le détail d'un fait divers ou la réminiscence d'un souvenir d'enfance. Lectrice assidue de la littérature universelle, elle se place volontairement dans une position de sevrage « *par besoin, dit-elle, d'oublier ce que je peux de ce que j'ai lu et travailler au fil des expériences à faire émerger une expression qui me soit vraiment personnelle* ». Personnel et novateur que le style de Bahéchar dans le paysage du roman francophone : corrosif et tendre, langoureux et tranchant, ironique et sensible, frais et précieux. Un univers en demi-teintes où l'oxymore n'est plus seulement une figure de rhétorique mais la pièce maîtresse de l'écriture. L'univers de *Ni fleurs ni couronnes*[1] est malgré son anonymat solidement posé. Des personnages aux caractères bien trempés, cadre naturel ou urbain précis au détail tranchant dans une ville en bord de mer où l'initiation de Chouhayra est conduite comme un rite d'immersion. Un univers où l'opulence frauduleuse et les mœurs salaces jouxtent la vulnérabilité des laissés-pour-compte. Mais comme tout rite de passage, c'est une histoire où, bien que malmenée, l'héroïne sort grandie, forte de ses convictions morales et de

* *Assia Belhabib est professeur de littérature francophone et comparée à la faculté des lettres de Kénitra (Maroc). Membre du CIEF (Conseil international d'études francophones) et de la CCLMC (Coordination des chercheurs sur les littératures maghrébines et comparées), elle est l'auteur de nombreux articles consacrés aux littératures francophones du Maghreb.*

1. *Casablanca, Éditions le Fennec, 2000.*

Ce qui compte c'est la féminité salvatrice, celle que femmes et hommes dissimulent et qui les dote d'une part d'humanité.

Mettre en garde contre la vie urbaine et moderne qui asphyxie l'identité et plonge dans l'anonymat.

l'éthique presque instinctive qu'elle puise au fond de ses émotions. Elle est guidée dans son apprentissage par trois hommes : le maître d'école Si Zoubeir, qui lui apprend à lire et à écrire, Luigi, le restaurateur italien qui lui donne le goût du métier et réveille sa nature généreuse, et Najib, le photographe qui l'initie au bonheur complexe de l'amour et du don de soi. Les femmes qu'elle rencontre sur son passage sont plus vulnérables qu'elle. Victimes d'une société qui les confine au rôle d'objet, elles subissent leur vie, résignées, jusqu'au moment où Chouhayra les sort de leur torpeur. Les cas les plus éloquents sont ceux de Léa Graziella, l'épouse délaissée de Luigi, et Amna, l'adolescente ramenée de force au pays natal pour être mariée. Deux enfermements parallèles qui, malgré des origines et des destins différents, expriment l'isolement, comme poids de la société, et l'indépendance, comme voie de rédemption possible.

Après avoir prêté sa voix à l'autodidacte, voilà que Bahéchar joue à quatre mains avec Rawda, la pianiste du deuxième roman *Le Concert des cloches*[2]. C'est une comédie humaine tout en noir où s'entrechoquent les acteurs d'une famille enfermée dans une villa, théâtre de leurs manigances mesquines et de l'aveuglement des sentiments. On est à mi-chemin entre *Huis-clos* de Ionesco et *L'Avare* de Molière. Le ton du récit est donné : absurde et ironique, léger et aérien en apparence, comme peut l'être une mélodie, douloureux et troublant tant les notes sont profondes et déroutantes. Comme au théâtre, l'intrigue est mince : un père despote et avare impose sa nouvelle femme au trio de cloches qui le servent ; Rawda sa fille désœuvrée et végétative, Bahi l'homme de main servile et Boughaba le voisin astronome et alcoolique. Peu importe ce qui préside au devenir de chacune des héroïnes ; ce qui compte c'est la féminité salvatrice, celle que femmes et hommes dissimulent et qui les dote d'une part d'humanité. L'écrivaine marocaine est à même de rendre compte de ce qu'elle ressent, mais c'est toute une aventure pour elle. Car une littérature peut-elle se renouveler si les personnes qui l'écrivent ne se renouvellent pas ? En arabe ou en français, l'essentiel est de libérer les ombres muettes. Sans doute la liberté d'expression engage-t-elle alors la « spécificité » de l'écriture féminine elle-même. Celle-ci n'exclut pas ses ressemblances avec l'écriture masculine. Ne témoigne-t-elle pas ici pour des prises de conscience lucides sur les problèmes féminins et plus largement sociaux du Maroc ? En effet, quelques indices épars laissent deviner que les romans de Bahéchar se situent successivement à Tanger, la ville du détroit, et Casablanca, la capitale économique.

2. *Casablanca, Éditions le Fennec, 2005.*

Souad Bahéchar © Martin Coers

Ce choix spatial n'est pas étranger à l'itinéraire personnel de l'écrivaine qui, née à Casablanca, s'est établie à Tanger après des études supérieures à Paris. Une parenthèse entre deux lieux de discours pour mettre en garde contre la vie urbaine et moderne qui asphyxie l'identité et plonge dans l'anonymat. Un vent de révolte contre l'immobilisme de ceux qui remplacent la liberté et le désir de justice par l'argent et son pouvoir destructeur.

Assia BELHABIB

Souad BAHÉCHAR
Ni fleurs ni couronnes
Casablanca, Éditions le Fennec, 2000, 222 p.
9,91 €

Les familles laissent volontiers entrevoir un peu de leurs secrets, ne serait-ce que pour que l'on sache qu'elles en ont.
Quand ceux-ci se transforment en légendes, ils deviennent les socles sur lesquels se reconstruit le passé pour expliquer le présent.
Partant de ce postulat, Souad Bahéchar écrit un roman qui, dans sa structure même, imite et revendique sa filiation à la tradition du conte populaire.
C'est l'histoire des Mramda, tribu nichée dans une vallée sans nom entre les montagnes et l'océan, qui fête la naissance de Chouhayra, l'héroïne de *Ni fleurs ni couronnes*, juste après le décès de la vieille madame Chouhayri, propriétaire terrienne et voisine des Mramda. Le roman s'ouvre sur une mort et une naissance presque en simultané.
Le nouveau-né rappelle le bienfait de la terre de « l'étrangère » sur l'ensemble de la tribu.
L'enfant est un heureux présage de l'abondance qui sortira la tribu de la misère. Cependant, plusieurs années de sécheresse plongent les habitants dans une guerre fratricide et l'enfant devient le symbole de la malédiction qui pèse sur le terroir. Elle cristallise la haine de l'échec puis tombe dans l'oubli, jusqu'au jour où elle est de nouveau le bouc émissaire de la tribu, qui la sacrifie sur l'autel de la barbarie. Pour avoir – dans un moment de tendresse partagée avec son compagnon d'infortune, le jeune et inexpérimenté berger Hachem – été surprise en plein acte prohibé, Chouhayra est brûlée au fer rouge et condamnée à fuir pour toujours sa terre d'origine, alors qu'elle y avait vécu en sauvage, loin des hommes et presque à l'état animal. Adolescente encore, elle est marquée dans sa chair de façon indélébile et doit apprendre à vivre avec son sexe mutilé et son identité traquée. Ses pas la conduisent vers la ville où, d'aventure en mésaventure, elle représente la lutte que chaque femme doit entreprendre, dans un apprentissage personnel et douloureux, pour acquérir savoir et liberté de mouvement.
En refusant l'éducation à leurs enfants, les Mramda dénoncent leur ignorance et leur incapacité de participer au développement social. Une rupture totale entre le mode de vie archaïque et la mouvance urbaine montre comment l'identité féminine ne peut se fixer que loin des carcans liés à la superstition, à la magie noire, au traitement abusif des femmes par les femmes elles-mêmes, garantes de coutumes obsolètes et dangereuses.
En portant le nom de « l'étrangère », Chouhayra semble réduite à devenir l'exclue, précisément à cause de l'identité usurpée. Elle tente de s'en débarrasser, changeant au gré de l'intrigue plusieurs fois de nom.
C'est d'abord Bahria, en hommage à sa passion pour la mer purificatrice, puis Chouha[1], allusion appuyée à sa position sociale de femme exploitée et trompée. Chouha devient Chou quand le restaurateur italien, Luigi, la prend sous sa protection et la défend malgré elle contre l'amour de Najib, le photographe fougueux et *globe-trotter*.
La valse onomastique se termine par le retour à l'appellation de baptême, comme signe de réconciliation du personnage avec sa propre identité et comme libération, des années plus tard, des pratiques obscurantistes et rétrogrades du lieu de naissance.
Le personnage doit le quitter pour se réaliser. Étranger parce que en marge par rapport à la société traditionnelle ou moderne, il agit ou glisse dans un contexte incertain et c'est pour cela qu'il est en état de quête. En cherchant à rétablir son identité en péril, il lui faut se définir par rapport à son environnement et aux images qui l'entourent. Non seulement la quête identitaire passe par différentes étapes de croyance, mais l'identité personnelle elle-même est changeante.
Une vision de l'expérience individuelle capable de voyager entre les littératures par-delà les liens culturels à telle ou telle société, ce qui explique sans doute le flou autour du référent spatial.
Pour un coup d'essai, ce roman est un coup de maître.

Assia BELHABIB

1. *« Objet de dérision » en arabe (note de l'éditeur).*

Rajae Benchemsi, auteur de l'intériorité

Khalid Zekri

C'est vers la fin des années 1990 et le début des années 2000 que la littérature au féminin va connaître, au Maroc, une « *maturité* » sur le plan de l'écriture, puisque des voix comme celle de Rajae Benchemsi seront moins marquées par l'obsession du témoignage et plus orientées vers un travail sur le langage et la création d'univers fictionnels. Elle fait partie de ces auteurs qui explorent les possibilités du langage à travers des histoires à tonalité mystique. La complexité des univers qu'elle construit est en symbiose avec les modalités énonciatives qu'elle explore.

Après avoir commencé ses études au Maroc, où elle est née, Rajae Benchemsi est partie en France pour y poursuivre ses études supérieures, couronnées par une thèse de doctorat sur l'œuvre de Maurice Blanchot. Elle a ensuite enseigné à l'École normale supérieure. Elle a également commencé une autre thèse, qu'elle a abandonnée en cours de route pour se consacrer à l'écriture, à la critique d'art et à une vie culturelle et spirituelle à Marrakech, en compagnie de son époux peintre Farid Belkahia.

Avant de publier des récits narratifs, Rajae Benchemsi s'était déjà fait connaître en 1997 par un recueil de poésie publié au Maroc sous le titre *Parole de nuit*[1]. Les poèmes qui figurent dans ce recueil sont harmonieusement accompagnés d'une aquarelle de Farid Belkahia. Mais c'est surtout avec *Fracture du désir*[2] qu'elle se fera remarquer par la critique journalistique. Il s'agit d'un livre constitué de six récits où la chair et le corps se construisent comme des antihéros. Slima est une prostituée contre son gré. Elle entretient une relation ambiguë avec Maître A., qui n'exige d'elle qu'une présence. Les soirées de Slima sont « *peuplées de sexes en érection et de bouches violacées par le mauvais vin* ». Dans la foire des Zaër, les frontières entre réalité et illusion perdent leur prétendue étanchéité et la narratrice est prise au piège de « *l'apparition d'une tête sans corps* ». La narration n'est pas « *encagée* » dans un seul espace. Du Maroc, le lecteur passe à Paris, et la narratrice devient elle-même lectrice qui vit un ravissement et une errance imaginaires.

Dans *Marrakech, Lumière d'exil*[3], à l'instar des autres récits de Rajae Benchemsi, c'est le corps de la femme qui écrit sur les femmes. En se choisissant comme objet de narration, la femme ne peut éviter des commentaires sur son rapport au monde. C'est ainsi que Bahia, qui fait des tatouages au henné aux touristes de la place Jemaa-el-Fna, se construit dans *Marrakech, Lumière d'exil* comme appropriation subjective du réel : « *Toutes ces mains qui se succédaient, sous l'œil attentif de*

---

1. Rabat (Maroc), Éditions Marsam, 1997.
2. Arles, Actes Sud, 1999.
3. Paris, Éditions Sabine Wespieser, 2003.

Rajae Benchemsi © D.R. / Éditions Sabine Wespieser

Bahia, étaient devenues, au fil du temps, un véritable alphabet qui s'organisait pour signifier le monde. » (p. 10). Les « *dessins* » tracés sur les mains deviennent un moyen d'entrer en contact tactile avec l'altérité. Cette appropriation des signes du monde traverse de part en part ce roman.

La Controverse des temps[4], roman publié à Paris en 2006 chez Sabine Wespieser, explore certaines zones de l'histoire de Meknès et de Moulay Ismaïl, fondateur de cette ville, à travers Najia qui est à la fois narratrice et personnage. L'écriture de l'histoire n'est plus une affaire exclusivement masculine, puisque Najia revisite les sites historiques de Meknès en faisant un portrait du roi alaouite Moulay Ismaïl, contemporain de Louis XIV. La narratrice imagine un Moulay Ismaïl bâtisseur et pas seulement despote. Mais derrière cette déconstruction de l'histoire, se profile

4. *Paris, Éditions Sabine Wespieser, 2006.*

Dire autrement et subjectivement le Maroc d'aujourd'hui.

Le soufisme, en tant qu'intériorisation spirituelle du Livre, expérience d'une altérité radicale, est récurrent chez Rajae Benchemsi.

le désir de mettre en texte une multiplicité de voix, une polyphonie consubstantiellement liée à l'idée de démocratie. Le mot controverse, qui apparaît dès le titre, est révélateur à cet égard puisque, d'entrée de jeu, le lecteur est invité à s'ouvrir sur la pluralité discursive qu'implique toute controverse. D'où la dimension polyphonique constitutive de la littérarité de ce roman où histoire, mémoire, culture soufie, tradition, modernité et fiction ne cessent d'interférer pour dire autrement et subjectivement le Maroc d'aujourd'hui.

Bien que cela ne constitue pas un motif obsessionnel chez elle, il faut souligner que les textes de Rajae Benchemsi sont le récit d'une négociation menée difficilement par les personnages féminins pour se constituer comme sujets à part entière dans la communauté des hommes. Les narratrices et les personnages dans *Fracture du désir, Marrakech, Lumière d'exil* et La Controverse des temps racontent à des degrés divers, par l'entremise du flux de la conscience, l'abolition du lien entre elles et le monde ambiant. Même parmi des femmes, elles se sentent dans des orbites étrangères. Elles perçoivent les hommes ou l'histoire écrite par eux, en règle générale, de manière critique. Dans l'économie générale de ces récits, le mari ou ses substituts fonctionnent souvent comme des moyens narratifs qui participent, à leur insu, au dévoilement du système phallocratique. Mais ce type de dénonciation est loin d'être le point central dans l'écriture de Rajae Benchemsi. Son rapport au désordre du monde passe par une quête soufie qui fonctionne comme un palimpseste permanent dans ses textes. Le soufisme, ce mysticisme de l'islam – en tant qu'intériorisation spirituelle du Livre, expérience d'une altérité radicale et non pas quête dogmatique et exotérique de la parole coranique –, est récurrent chez Rajae Benchemsi. Elle s'inspire des mystiques qui voulaient contempler la parole sans succomber à sa fatale opacité, en la saisissant dans ses nuances les plus changeantes et les plus subtiles. C'est à travers un discours parabolique qu'elle intègre dans ses récits (même si elle le fait de manière épisodique) la parole soufie qui la rattache à une origine expressive archétypale. Elle s'inscrit, par-là même, dans une pratique spirituelle historiquement ancrée dans la société marocaine. Elle semble prendre des mystiques musulmans, mais aussi des auteurs de la littérature universelle, la consubstantialité de la parole et de l'expérience intérieure subjective.

Khalid ZEKRI

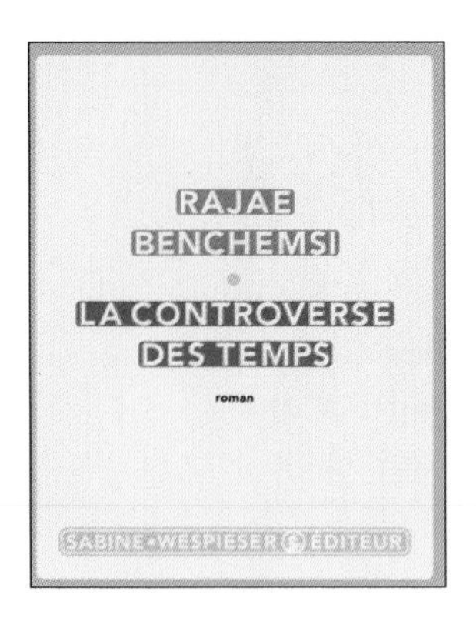

Rajae BENCHEMSI
La Controverse des temps
Paris, Éditions Sabine Wespieser, 2006, 233 p.
20 €

La Controverse des temps est un roman construit comme une promenade dans la ville de Meknès. C'est une histoire que l'on ne peut aucunement qualifier d'exotique, même si la première partie du roman s'apparente à un guide touristique. Disons, sans aucune intention malveillante, que c'est un livre de tourisme culturel et intellectuel.
La narratrice assume provisoirement la fonction de guide bénévole puisqu'elle a tenu à « *faire visiter la ville de Meknès* » à ses amis (p. 9). Dans ce roman, les personnages-flâneurs sont tous cultivés : la narratrice, nommée Najia, Ilyas, Houda, Nathalie, Yasmina, Hiba, Zakaria, Dr Jalil et enfin Mustapha, guide bénévole et engagé. Le lecteur sillonne les sites historiques de Meknès, ville impériale fondée au XVIIe siècle par le monarque alaouite Moulay Ismaïl. Le récit commence par l'évocation de la place al-Hadim, « *littéralement place de la Ruine* ». C'est ainsi que le dialogue s'ouvre entre le personnage Ilyas, un soufi féru de philosophie arabe et islamique, et Houda, intellectuelle enthousiaste qui a soutenu dans une université parisienne un doctorat de philosophie sur Hegel. Ces deux personnages vivent une histoire d'amour complexe, ambiguë et impossible.
La controverse autour des temps et des lieux commence par la mise en discours des traces de l'histoire. La narratrice est scandalisée par la présence des tôles déglinguées qui se trouvent au pied de Bâb Mansour al-Alj, une « *auguste et majestueuse* » porte de l'architecture islamique. La place al-Hadim, qui se trouve face à cette porte, est l'occasion d'inscrire la parole populaire dans le texte à travers la figure d'un conteur public qui a l'allure d'un « ascète ». Les personnages se dirigent ensuite vers Qobt Assouk, près de la medersa Bou Inaniya, pour arriver ensuite à une prison dite *Habs Qara*.
Cette prison sera l'occasion pour la narratrice d'évoquer brièvement la « *fameuse salle des ambassadeurs où le sultan recevait jadis les messagers, notamment ceux de Louis XIV* » (p. 21).
La *Controverse des temps*, c'est aussi la controverse autour de la personne de Moulay Ismaïl, sultan à la fois despote et bâtisseur non seulement de la ville de Meknès, mais de tout un royaume au XVIIe siècle.
C'est ainsi que Mustapha entre en controverse avec Yasmina, qui soutient des choses terrifiantes relatives à Moulay Ismaïl. Pour la convaincre de la relativité des propos qu'elle tient, il évoque le silence des manuels scolaires sur les crimes commis par Napoléon, cet autre bâtisseur européen. Argument certes insuffisant pour disculper le Sultan, mais largement suffisant pour comprendre le rapport complexe que le sujet marocain entretient parfois avec le pouvoir autoritaire.
Il y a par ailleurs dans ce roman un incessant va-et-vient entre le Maroc, l'Andalousie et la France, notamment Paris, où certains personnages du récit avaient fait connaissance pendant leurs années d'études. Le fil qui sépare le vécu de l'auteur et les événements racontés est tellement ténu que le lecteur s'engouffre parfois dans l'illusion biographique.
L'inscription du soufisme dans *La Controverse des temps* rappelle, par bien des aspects, *Chujayrat hina wa qamar* (traduit aux éditions Phébus sous le titre *L'Arbre et la lune*) et *Gharibat Al-Hussein* (*L'Étrangère d'Al-Hussein*, texte non traduit) de l'écrivain marocain arabophone Ahmad Al-Tawfiq. Le roman de Rajae Benchemsi est écrit dans une langue poétique et les réflexions qui y sont disséminées ne relèvent aucunement d'un quelconque intellectualisme superfétatoire. Pourrait-on rêver un jour d'un guide touristique qui ressemblerait à *La Controverse des temps* ?

Khalid ZEKRI

Mohamed Hmoudane, des mots comme des boules de feu

Tahar Bekri*

Mohamed Hmoudane est un écrivain écorché vif. Sa mince silhouette, en apparence calme, cache une violence et une colère rares. Son écriture lance, à la surface des pages, des mots comme des boules de feu qui roulent à la vitesse des êtres pressés dans des villes, peu propices à la pause, la méditation ou la contemplation. Et ce, dans le domaine de la poésie comme dans celui de la narration. Flamme, braise, cendre, incandescence, brûlure constituent son vocabulaire aux milles étincelles, dans le *spleen* du vécu et la révolte permanente. Il écrit l'indignation contre un réel aliéné et démuni, fortement humiliant et avilissant, qui a marqué son départ. De son Maroc natal, il porte des douleurs et des blessures, des misères et des amertumes. Et c'est la rébellion déclarée, loin des images exotiques et touristiques, loin des fantasmes faciles, qui guide et emporte des textes jetés à la face du lecteur comme des cris insolents, bouleversants et provocateurs, sombres et habités par la mort, parfois, noyés dans de mauvais vins pour tenter de s'éteindre ou de s'apaiser. Mais est-ce possible ? Le rêve est une toile d'araignée tissée par le poème des mauvais jours, il crie son dégoût, vomit sa déchéance, jette son cadavre. Qui donc appeler à la rescousse, contre l'agonie dominante ?

« *Déversez/Sur les villes obscures/Le feu spectral que je couve...* » (p. 14).

Aussi, le poème irrévérencieux dit-il sa révolte juvénile et irréductible, dans la plus libre des pérégrinations, dans la tournée des bars et le nomadisme des villes. Le poète ouvre « Les vannes de sa cervelle » (*Blanche mécanique*[1], p. 52) pour laisser couler son « *encre torrentielle* » (p. 11, idem). « *Il opère/à coup orbe/à lames de verre/aiguisées/à vous les planter/dans le gosier/à vous couper le souffle...* » (p. 13). Il met en dérision les certitudes séculaires, les hypocrisies des discours religieux, sociaux, culturels. Rimbaldien, mais les références aux auteurs anglo-américains sont évidentes, le texte abolit sa forme, affranchit sa structure, remplit ses vers, ses verres aussi, de bulles inspirées, de mots qui s'entrechoquent, qui trinquent, d'images qui se brisent, les unes contre les autres, dans le fracas des sentiments et des vibrations, non sans créer ce chaos intérieur auquel on ne peut rester insensible. Comment rester indifférent à cette écriture qui hurle : « *Hurler/ hurler/ jusqu'à ameuter/ les morts/ puis mourir/ de ne plus avoir/ à mourir* » (*Attentat*[2], p. 29) ; ou à cet autre texte qui arrête par sa violence : « *Sang debout/ Au croisement des dérives je me plante/ Un os dans le dos et je danse/ Ce soir/Cycle de cadavre demain/Le sommeil* » (Attentat, p. 47).

---

* *Tahar Bekri est poète et maître de conférence à Paris-X Nanterre. Son dernier ouvrage :* Le Livre du souvenir, *Tunis,Éditions Elyzad, 2007.*

1. *Paris, Éditions de la Différence, 2005 (coll. « Clepsydre »).*

2. *Paris, Éditions de la Différence, 2003 (coll. « Clepsydre »).*

Mohamed Hmoudane semble ainsi rejoindre Mohamed Choukri, dans sa lutte pour la survie, mais surtout les poètes marocains des années 1970, comme Mohammed Khaïr Eddine ou Abdelatif Laâbi. Ces derniers ont développé, la revue Souffles aidant, un discours littéraire nourri par « *la violence du texte* », décrié le monde des morts-vivants, dénoncé les retors politiques et sociaux. Plus de trente-cinq ans après, Mohamed Hmoudane renoue avec cette génération en ajoutant à ses écrits des regards aussi critiques que révoltés, cette fois-ci, sur le

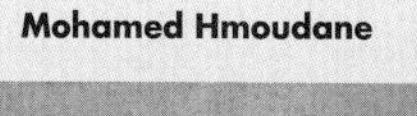

Mohamed Hmoudane © D.R.

Une remise en cause de l'architecture du monde actuel.

pays d'accueil, la France, son nouveau lieu de vie. Rien n'a-t-il changé, évolué ? Ou l'écrivain est-il le contestataire assidu, rompu aux travers des choses, toujours aux aguets des apocalypses, des naufrages ? Sa fièvre jamais ne tombe. Car il est : « *Brûlé aux mots/comme au chalumeau/mû par un trouble nouveau/je suis à présent mûr/pour l'échafaud...* » (p. 37).

Et de désespoir, sa mécanique n'est pas orange mais blanche. Parce que trop vaine, peut-être. La modernité, dans son agressivité, fonctionne comme une machine broyeuse de vies. Il y a dans les ouvrages de Mohamed Hmoudane comme une remise en cause de l'architecture du monde actuel, une prière en verlan ou une invocation à l'envers pour attirer notre attention sur ces graffitis, tagués, et qu'il lit sur un quai : « *La civilisation fait des bonds vertigineux dans le marasme/L'inhumanité un autre pas géant* » (p. 25).

Le ciel, avec ses trous, peut-il entendre ? Cloué sur la croix des temps modernes, le poète peut-il échapper à être le nouveau Christ ? Et le poème de devenir liturgie émouvante, parfois oraison funèbre, chant douloureux aux échos lointains et proches, trop humain pour être exempt de toute souffrance.

Tahar BEKRI

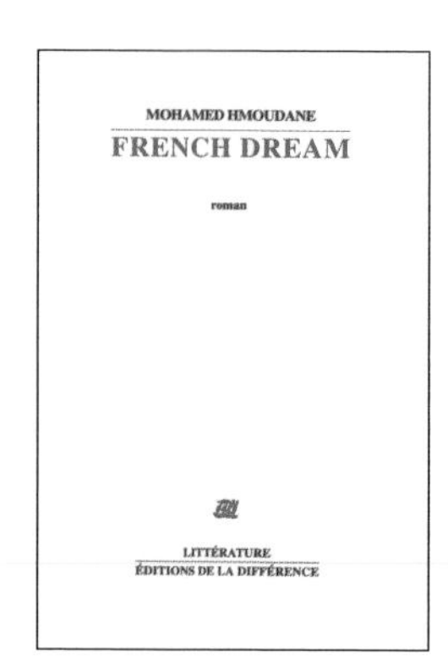

Mohamed HMOUDANE
French Dream
Paris, éditions La Différence, 2005, 128 p.
14 €

Ce premier roman est un cri de révolte empreint d'ironie et de désillusion, une empoignade vigoureuse avec le réel et le rêve confondus, de part et d'autre de la Méditerranée. Najib Walou (Najib rien), le héros du roman, est un jeune écrivain marocain qui, après avoir corrompu un fonctionnaire alcoolique par une bouteille de mauvais vin, arrive à obtenir un passeport, finit par quitter le pays et s'installer en France. Commence alors une traversée épique d'une réalité de l'immigration, commune à de nombreux arrivants : recherche vaine du travail, petits boulots : gardien de nuit à l'aéroport, vendeur de glaces sur les plages du Sud, etc., débrouillardises, amours occasionnelles, vie difficile et tourmentes quotidiennes. La banlieue de Saint-Denis où il réside est appelée l'île de Jolo, référence à l'île asiatique certes, humour oblige, mais surtout à la jungle humaine, son exotisme affligeant. Najib Walou a aussi deux frères, Nadir et Adam. Grâce à eux, l'auteur brosse un tableau exigeant des milieux politiques révolutionnaires de gauche, l'opportunisme militant, l'arrivisme social, les utopies abandonnées, en somme, le train-train d'une vie établie, tranquille et égoïste. L'émotion dans le roman vient du rapport au père malade, les liens affectifs, le combat pour payer les soins. Dans ce roman, comme dans les autres livres de l'auteur, on boit, et beaucoup même. Le livre s'ouvre sur cet incipit : « *Je dois au vin beaucoup plus que l'ivresse.* » L'ivresse est-elle possible dans une société marocaine rongée par la mal-vie, la corruption, le désir de partir ? Mais de l'autre, le rêve français – d'où le titre en anglais, qui fait écho au « *rêve américain* » – tourne au cauchemar et vient se briser contre les récifs d'un océan de situations insurmontables, où « *la galère* », la survie l'emportent sur l'envie, la rage de vivre de la jeunesse. Mohamed Hmoudane est plus proche de George Orwell dans Paris dans la dèche que de Hemingway dans Paris est une Fête. Son roman-récit a des accents à la Charles Bukowski, ce Vieux dégueulasse, qui fait fi des règles des bienséances sociales et boit pour créer un désordre salutaire. En provocation, Najib Walou s'y connaît jusqu'à peaufiner au comptoir d'un bar ces pages qu'il prend soin de rayer et qui font un portrait d'Abdelkrim, le héros marocain de la guerre du Rif, en vrai homosexuel, violeur de soldat espagnol. C'est que l'écriture se veut mise en question des « *gardiens de la mémoire* », de ceux qui en font leur fonds de commerce (p. 89). Et l'auteur d'imaginer un autre avenir au Maroc si Abdelkrim Khatabi l'avait emporté sur le plan historique. L'audace de l'auteur est dans le sacrilège, la déstabilisation des acquis immobiles, dans la liberté qu'il prend vis-à-vis des certitudes, dans le rejet du mensonge et des discours factices. D'où qu'ils viennent, où qu'ils soient, en France comme au Maroc, et c'est la double intransigeance qui rend ce roman lucide, sans concession, à la critique aiguisée jusqu'à se faire mal, jusqu'à l'automutilation. La guerre à laquelle se livre l'anti-héros de ce roman est douloureuse, sauvée, heureusement, par des passages poétiques où le rêve transcende la violence du réel, où l'écriture détourne ce qui est mortifère. Sexe, désir, amour ne manquent pas, non plus, à cette narration de l'urbanité frénétique, hallucinée par des soliloques où le poète est là, prêt à bondir contre toute médiocrité.

Tahar BEKRI

4

Océan Indien

Image extraite de *Comores/Zanzibar*, photographies de Jean-Pierre Vallorani, textes de Salim Hatubou, Paris, Françoise Truffaut éditions, 2007.

Un océan de nouveaux souffles

Kumari R. Issur*

Vivier de talents, l'océan Indien a donné en ce début du XXIe siècle donc en quelques petites années, une pêche relativement abondante. S'épanouissent à l'ombre des aînés, qui continuent à consolider leur œuvre, de nouveaux imaginaires et de nouveaux projets d'écriture. Cet océan multiple est traversé par des courants qui ne sont pas toujours homogènes ou concordants ; l'on parvient néanmoins à repérer ici et là des bassins de confluences permettant d'esquisser quelques perspectives.

Maurice

À Maurice, Ananda Devi, écrivain de renommée internationale, a publié à ce jour huit romans et un grand nombre de nouvelles, dans une remarquable prose poétique. Son dernier roman, *Ève de ses décombres*[1], qui a remporté deux prestigieux prix littéraires (Prix des cinq continents de la francophonie et Prix RFO du Livre), nous entraîne dans les bas-fonds de la ville-capitale sur les pas de quatre adolescents marginalisés. J.-M. G. Le Clézio, de son côté, continue à flirter avec ses préoccupations mauriciennes et signe avec *Révolutions*[2] un récit aux lisières de l'autobiographie et de la fiction.

Plusieurs écrits récents marquent cependant un changement d'orientation majeur. Les écrivains mauriciens s'affranchissent des thématiques et des formes traditionnelles, ainsi que du cadrage du sol. Interpellés par des événements se déroulant ailleurs dans le monde, ils ne se contentent pas d'en subir les répercussions, mais enfourchent la monture littéraire pour soutenir des intérêts, défendre des causes. Ils font valoir un discours véritablement engagé où ils se font porte-parole des exclus, des opprimés, des sans-voix. Leur posture, que l'on pourrait qualifier d'altermondialiste, est en rupture avec la mondialisation furieuse qui s'est enclenchée. Le débat politique n'est toutefois pas abordé frontalement, c'est le drame humain qui est visité.

---

* *Kumari R. Issur est enseignant-chercheur à l'université de Maurice depuis 1994 ; elle s'est spécialisée dans les littératures francophones de l'océan Indien et de la Caraïbe, sur lesquelles elle a publié de nombreux articles. Elle a également coédité* L'océan Indien dans les littératures francophones *(2001) et* Baudin-Flinders dans l'océan Indien *(2006) et coordonné le n° 48 de la revue* Francofonia *sur « La littérature mauricienne de langue française » (septembre 2005).*

1. *Paris, Gallimard, 2006 (coll. « Blanche »).*
2. *Paris, Gallimard, 2003 (coll. « Blanche »).*

© Pierrot Men

Une posture « altermondialiste » en rupture avec la mondialisation furieuse qui s'est enclenchée.

Ainsi Shenaz Patel (voir plus loin), après deux romans situés à Maurice, s'engage-t-il dans *Le silence des Chagos*[3] à nous restituer le calvaire des Chagossiens, chassés de leur archipel il y a quarante ans. Elle transcrit les souvenirs des survivants et expose les interrogations des descendants. De même, Barlen Pyamootoo s'aventure dans son deuxième roman, *Le Tour de Babylone*[4], à évoquer l'Irak après la première guerre du Golfe ; il choisit de donner aux Irakiens une épaisseur et une dignité humaines en se démarquant des images circulant le plus souvent dans les médias. Carl de Souza, dans *Ceux qu'on jette à la mer*[5], s'intéresse au sort d'une centaine de Chinois qui choisissent de fuir leur pays en vue d'un avenir meilleur, mais qui se retrouvent piégés en plein océan : « *Nous sommes d'irrémédiables déracinés, d'éternels réfugiés, la mer nous refoule, la terre ne sait pas nous retenir, nous sommes pris dans un ressac incessant, violent et silencieux, qui n'en finit pas de voler nos rêves.* » Khal Torabully, dans son recueil de poésie *Mes Afriques, mes ivoires*[6], s'inquiète du devenir de la Côte-d'Ivoire, et par-delà, de tous les pays d'Afrique ravagés par les rébellions et les guerres.

Parmi la nouvelle génération figure aussi Nathacha Appanah (voir plus loin), qui, avec trois romans éclectiques en trois ans, s'impose avec allure. Alain Gordon-Gentil, après *Quartiers de Pamplemousses*[7], récit pétillant du *letan lontan*, change de tonalité pour donner *Le voyage de Delcourt*[8], où la passion amoureuse poussée au paroxysme fait sombrer le personnage dans la folie. Amal Sewtohul, dans *Histoire d'Ashok et d'autres personnages de moindre importance*[9], relève les petits et les grands travers de ses compatriotes, avec humour. Bertrand de Robillard, avec *L'homme qui penche*[10], compose un récit qui évoque subtilement l'enfermement représenté par l'île. En poésie, émergent les voix puissantes et originales d'Umar Timol (*La Parole Testament*, suivi de *Chimie*[11] et *Sang*[12]) et de Michel Ducasse (*Alphabet*[13], *Mélangés*[14] et *Soirs d'enfance*[15]).

3. *Paris, Éditions de l'Olivier, 2005.*
4. *Paris, Éditions de l'Olivier, 2002.*
5. *Paris, Éditions de l'Olivier, 2001.*
6. *Paris, L'Harmattan, 2004 (coll. « Poètes des cinq continents »).*
7. *Paris, Éditions Julliard, 1999.*
8. *Paris, Éditions Julliard, 2001.*
9. *Paris, Gallimard, 2001 (coll. « Continents noirs »).*
10. *Paris, Éditions de l'Olivier, 2003.*
11. *Paris, L'Harmattan, 2003 (coll. « Poètes des cinq continents »).*
12. *Paris, L'Harmattan, 2004, (coll. « Poètes des cinq continents »).*
13. *Beau-Bassin (Maurice), Éditions Vilaz métiss, 2001.*
14. *Beau-Bassin (Maurice), Éditions Vilaz métiss, 2003.*
15. *Beau-Bassin (Maurice), Éditions Vilaz métiss, 2004.*

L'effort des structures éditoriales réunionnaises pour encourager et accueillir la foisonnante production locale.

La poétique du marronnage continue aussi à inspirer.

La Réunion

Il nous faut tout d'abord saluer l'effort des structures éditoriales réunionnaises pour encourager et accueillir la foisonnante production locale. Celle-ci s'organise en bouquets, mais ne s'écarte somme toute pas des sentiers battus.

Bernadette Thomas, dans la bonne tradition réunionnaise, propose un roman sur le monde occulte, *Le Souffle des disparus*[16]. Francky Lauret, dans la même veine, après un recueil de poésie en 1999, *Négromancie*[17], revient avec le récit *Haschischin*[18], une histoire de *zamal* liée au surnaturel. J. William Cally, avec son recueil de nouvelles *Kapali*[19], souhaite développer ce qu'il nomme le « *bébètik* », un récit fantastique à la sauce réunionnaise qui ferait revivre les créatures maléfiques issues du fonds légendaire du terroir.

Les récits de pirates, autre genre faisant indéniablement partie de la tradition locale, ne sont pas en reste. *Le Retour du buisson ardent*[20] de Fred Mussard se présente comme le récit classique d'un coureur des mers, avec moult aventures et rebondissements. Daniel Vaxelaire, avec *Supplique pour ne pas être pendu avec les autres pirates*[21], étoffe davantage son œuvre indianocéanique féconde ; le personnage emprunte à l'artifice de Schéhérazade, pour faire différer sa pendaison, et à la verve faussement naïve du Persan de Montesquieu, pour critiquer les pays et les institutions.

La poétique du marronnage continue aussi à inspirer, puisque Yves Manglou livre, avec *Noir mais marron*[22], un roman qui fait intervenir aux côtés de personnages fictifs le personnage historique du marron Mafate.

Certains écrivains réinvestissent la forme canonique du récit d'enfance aux allures autobiographiques. Véronique Bourkoff, dans Rouge *Cafrine*[23], saisit la douleur vive de la discrimination raciale subie par Rose, qui est la seule de la famille à hériter des traits négroïdes du grand-père. « *Un ton sépia qui me venait du père de ma mère, un homme que je n'ai pas connu et qui m'a choisie pour porter le lourd fardeau de la carnation avilissante. Celle indélébile qui souille, celle qui crêpe les cheveux, épate le nez, atrophie les rêves, celle qui transforme l'intérieur,*

---

16. *Saint-Denis de la Réunion, Éditions Grand océan, 2003.*
17. *Saint-Denis de la Réunion, Éditions Grand océan, 1999.*
18. *Matoury, Ibis rouge, 2000.*
19. *Paris, L'Harmattan, 2005 (coll. « Lettres de l'océan Indien »).*
20. *Paris, L'Harmattan, 2006 (coll. « Lettres de l'océan Indien »).*
21. *Chavagny-sur-Guye (Saône-et-Loire), Éditions Orphie, 2003.*
22. *Chevagny-sur-Guye (Saône-et-Loire), Éditions Orphie, 2001 (coll. « Autour du monde jeunesse »).*
23. *Chevagny-sur-Guye (Saône-et-Loire), Éditions Orphie, 2003 (coll. « Autour du monde »).*

Michèle Rakotoson met à l'index la prostitution qui gangrène l'île.

pas en mieux, jamais mieux que le blanc, la pureté n'a pas d'égal. » *L'Empreinte française*[24] de Jean-François Samlong, dont le titre ne rend pas justice au contenu, est un roman autobiographique d'une tendresse et d'une suavité infinies, racontant la relation privilégiée de l'écrivain enfant avec sa grand-mère. On retrouve la figure de la grand-mère, en compagnie du conteur cette fois, au cœur de *Lianes*[25] de Suzel Grondin-Pilou, un premier roman faisant preuve d'une grande maîtrise de l'écriture.

Les Ombrières[26], de Christiane Nativel-Forestier, raconte une curieuse histoire teintée de suspense qui se déroule sur une semaine, de Noël à la Saint-Sylvestre 2000, mêlant à son apogée les destinées de tous les personnages pour mieux les disperser.

Jean Louis Robert continue à composer avec allégresse dans ce qu'il nomme la « *mélangue* », cet entre-deux des langues française et créole ; ce virtuose de jeux sur les mots forge, entre autres, des mots-valises étonnants et hautement savoureux réunissant les deux langues (« *zamaliesse* », « *bercase* »). La langue broyée, malaxée, remodelée fait vibrer à la fois le cœur et les neurones ; goûtez donc cet extrait de *À l'angle malang. Les maux d'ici*[27] : « *scandale du bouillement des lettres-la-kaz – minoritaires dans le corps de la maîtrolangue – dans le bouillon malang de la langue d.o.m.inée* ».

Madagascar

Du côté des lettres malgaches, Michèle Rakotoson propose avec *Lalana*[28] un hymne à l'amitié, sur fond de réalité tragique : la lente agonie d'un personnage atteint du sida. Elle met à l'index la prostitution qui gangrène l'île : « *Ils y survivaient, s'y adaptant par tous les moyens, surtout ceux les moins tolérés par la morale. Rivo, lui, s'était spécialisé dans les touristes. Les femmes d'abord, puis un jour il avait découvert les hommes. Il aimait les hommes, Rivo, eux aussi l'aimaient, lui et ses pantalons moulants, marcel décolleté, boucle d'oreille et bracelet en cuir.* » Rivo et son ami Naivo (doit-on lire dans ces prénoms des anagrammes éclatées d'Antananarivo ?) entreprennent la traversée de

24. *Paris, Le Serpent à Plumes, 2005 (coll. « Fiction. Domaine français »).*
25. *Paris/Saint-Denis de la Réunion, Éditions J. Losfeld/Éditions Grand océan, 2002.*
26. *Chevagny-sur-Guye (Saône-et-Loire), Éditions Orphie, 2005 (coll. « Autour du monde »).*
27. *Saint-Denis de la Réunion, Éditions Grand océan, 2004.*
28. *La Tour-d'Aigues, Éditions de l'Aube, 2002 (coll. « Regards croisés »).*

On peut parler de réveil de la production littéraire aux Comores.

IL reste à souhaiter que cette production d'une vigueur incontestable arrive à franchir les récifs du cloisonnement insulaire.

l'arrière-pays malgache qui aura, comme dans *Le Bain des reliques*[29] (1988), des allures de voyage initiatique ; les hallucinations de Rivo permettent de revisiter les moments forts du passé de la Grande Île. *Lalana* est un roman puissant, une mélopée obsédante qu'il faut absolument lire. Tout comme ce roman, *Nour, 1947*[30] de Jean-Luc Raharimanana se présente comme une entreprise de récupération et de sauvegarde de la mémoire occultée de Madagascar.

Comores et Mayotte

On peut parler de réveil de la production littéraire aux Comores avec Nassur Attoumani et Salim Hatubou (voir plus loin), qui alignent tous deux un grand nombre de recueils de contes traditionnels et de romans puisant dans le réel de l'archipel. Nassur Attoumani, dans *Le calvaire des baobabs*[31], conte l'accident, l'agonie et la mort d'un grand maître coranique, sous forme d'allégorie de la présence coloniale française à Mayotte. Dans *Les démons de l'aube*[32], Salim Hatubou relate sur un ton proche de l'autodérision une « *histoire sortie des entrailles d'un désespoir* », un récit poignant d'enfants-soldats qui n'est pas sans rappeler *Allah n'est pas obligé*[33] d'Ahmadou Kourouma.

Au terme de ce survol, il reste à souhaiter que cette production d'une vigueur incontestable arrive à franchir les récifs du cloisonnement insulaire, pour être mieux diffusée entre les îles et les archipels même de l'océan Indien.

Kumari R. ISSUR

---

29. Paris, Éditions Khartala, 1988 (coll. « Lettres du Sud »).
30. Paris, Le Serpent à Plumes, 2001 (coll. « Motifs »).
31. Paris, L'Harmattan, 2000 (coll. « Lettres de l'océan Indien »).
32. Paris, L'Harmattan, 2006 (coll. « Lettres de l'océan Indien »).
33. Paris, Éditions du Seuil, 2000.

Nathacha Appanah, l'île Maurice du dedans et du dehors

Kumari R. Issur

On serait tenté de lire les trois romans de Nathacha Appanah comme un triptyque, un itinéraire à trois volets qui amène l'engagé indien à Maurice et sa descendance, après une tentative stérile pour s'y enraciner, à mettre les voiles pour l'Europe (parcours qui n'est pas sans rappeler celui de l'écrivain et de ses ancêtres).

Dans *Les Rochers de Poudre d'Or*[1] (2003), le roman de l'engagisme, Nathacha Appanah reprend les leitmotive du genre : recrutement par des « maistrys » peu scrupuleux, mirage de l'or facile à trouver, traversée à fond de cale, désenchantement à l'arrivée, travail ardu dans les champs de canne, sort guère enviable des femmes exploitées sexuellement telles que Ganga… L'écrivain explore les motivations individuelles des immigrants provenant des quatre coins de l'Inde et érige ces derniers en types. Chotty est « *un paysan meurtri par la misère et la domination des propriétaires terriens* », Vythee « *un exilé volontaire et nostalgique sur les traces de son frère* », etc. *Les Rochers de Poudre d'Or* est le premier roman mauricien de langue française à traiter la thématique de l'engagisme (le thème a déjà inspiré des œuvres en hindi et an anglais) si l'on exclut *La Quarantaine* (1995) de Le Clézio, qui y consacre une large part.

La première immigration fait cependant faillite, puisque les fléaux inhérents à l'Inde sont transposés en terre mauricienne. L'intrigue de *Blue Bay Palace*[2] (2004) dévoile le pays sclérosé dans ses stratifications de classes et de castes. Trahie par son amant qui préfère épouser quelqu'un de son milieu, Maya est lentement mais inexorablement aspirée dans une spirale obsessionnelle qui la conduit au meurtre. Bien plus qu'une histoire d'amour qui tourne mal, *Blue Bay Palace* nous parle de paradoxes : du sentiment de mal-être et d'étouffement dans un cadre paradisiaque, de touristes évoluant dans le luxe et l'opulence alors que la population mène une existence précaire. À l'hôtel cinq étoiles où travaillent les protagonistes s'opposent les cases en tôle et les caniveaux bouchés du village de Blue Bay.

Le récit souligne le désir irrépressible des habitants de quitter l'île : « *Ici, le départ est inscrit dans nos gènes. Dans toutes les familles, il y a toujours quelqu'un qui est parti et d'autres qui ne rêvent que de ça.* » Du reste, bien avant le drame, Maya ressent la pulsion de se soustraire au « pays-prison ».

---

1. *Paris, Gallimard, 2003 (coll. « Continents noirs »). Cet ouvrage a obtenu le prix RFO du Livre 2003 et le prix Rosine Perrier 2004.*
2. *Paris, Gallimard, 2004 (coll. « Continents noirs »). Grand prix littéraire de l'océan Indien et du Pacifique 2004.*

Nathacha Appanah © Catherine Hélie/Éditions Gallimard

La noce d'Anna[3] (2005) semble prolonger le débat entamé dans le roman précédent sur l'étroitesse de l'île et l'exiguïté de sa mentalité : « *Ce pays ensoleillé et étriqué, ce pays magnifique et raciste, ce pays où le travail est une vertu et le mensonge un art de vivre.* » Sonia est une Maya qui a su fuir son île avant d'être broyée par elle. Nathacha Appanah déconstruit l'essentialisme lié au lieu et aborde la question d'une identité constamment en mutation. Face à la question de l'origine, Sonia s'indigne : « *Que veut dire exactement cette question ? Le pays où vous êtes né, certainement, mais quand vous avez passé plus d'années en terre étrangère que dans votre patrie, de quelle origine êtes-vous vraiment ? [...] pour les autres, [...] vous devez être droite et fière de ces origines-là, avoir le regard qui scintille, la larme à l'?il, le soupir long [...] On vous refuse tout simplement le droit de dire merde à vos origines.* » La protagoniste ne se laisse envahir par aucune nostalgie et ne songe pas une fois à rentrer à Maurice en plus de vingt-cinq ans, même pas pour les funérailles de ses parents.

Mais bien plus que la question des racines, Nathacha Appanah aborde dans ce roman les relations complexes mère-fille, oppose l'esprit bohème d'une mère à

---

3. Paris, Gallimard, 2005 (coll. « Continents noirs »). Prix grand public salon du Livre 2006.

Les pulsations multiples et infinies de l'âme humaine, plus particulièrement de l'âme féminine, amante ou mère.

l'ordre bourgeois représenté par la fille. Se déroulant sur une journée, d'où sa grande intensité, *La noce d'Anna* se situe entre l'amour et le désarroi d'une mère qui voit sa fille lui échapper pour vivre sa vie propre. Il nous parle également de la solitude de l'être qui ne semble se résoudre que dans l'écriture (dans une mise en abyme hautement symbolique de la figure d'écrivain). Sonia finira toutefois par se débarrasser de ses angoisses et assumera sa féminité et sa sexualité, en même temps qu'elle repensera son rôle et son attitude de mère. Contrairement aux deux premiers romans, *La noce d'Anna* clôt sur une note positive.

Mais il ne faut pas se tromper, les pérégrinations de Nathacha Appanah ne sont pas prêtes de s'arrêter. Pour preuve, l'Afrique se déroule à l'horizon du troisième roman (les deux figures de l'amour – Matthew et Roman – sont lancées dans l'aventure africaine)...

La trilogie romanesque de Nathacha Appanah, riche de tonalités différentes – roman à caractère historique, exploration de la passion, écriture intimiste –, se lit avec plaisir. Son écriture ciselée minutieusement coule avec aisance et laisse échapper une émotion sans alliage à laquelle on ne peut demeurer insensible : « *Anna m'appelle maman, solennellement, gravement. Elle y met de la force, elle articule, elle fait des angles droits à ce mot-là, des falaises abruptes et des rochers affûtés en dessous, elle y met de la distance parfois, de la réprobation souvent.* » À travers des mots simples, des images percutantes, une composition syntaxique dégageant un rythme remarquable, l'écrivain dit les pulsations multiples et infinies de l'âme humaine, plus particulièrement de l'âme féminine, amante ou mère.

Kumari R. ISSUR

Nathacha APPANAH
Le dernier frère
Paris, éditions de l'Olivier, 2007, 211 p.

Le dernier frère, quatrième roman de Nathacha Appanah, nous plonge une fois de plus dans un pan méconnu de l'histoire mauricienne, celui des Juifs refoulés de Palestine et déportés à Maurice en décembre 1940. Son premier roman, *Les rochers de Poudre d'Or*, racontait déjà l'arrivée des travailleurs engagés Indiens à Maurice, une histoire certes plus connue mais qui mérite d'être remémorée, et qui participe en quelque sorte à tous ces récits sur les peuples déplacés, de gré ou de force, à travers le monde. *Le dernier frère*, en relatant l'histoire de ces Juifs déportés et emprisonnés à Maurice et surtout l'histoire de David, ce petit garçon juif qui va se lier d'amitié avec le narrateur, Raj, de descendance indienne, crée une sorte de lien, de souffrance en partage entre ces communautés déplacées, même si la déportation des Juifs ne peut être mise sur le même plan que le sort des travailleurs engagés Indiens.

L'histoire est racontée à travers le regard de Raj qui, au soir de sa vie, se remémore son enfance et sa rencontre avec David, petit garçon juif interné dans une prison et mort à l'âge de dix ans. Cadet d'une famille indienne démunie, vivant d'abord dans un « camp »[1] à Mapou, Raj nous raconte la dure vie du village, faite de beaucoup de sacrifices, de sueurs, de pères violents qui n'ont cessé de se défouler sur leur femmes et enfants ; mais aussi de tendresse maternelle et de joie partagée avec ses deux frères sous le soleil brûlant, les pluies diluviennes, les jeux près de la rivière, bref, dans une nature tour à tour accueillante et menaçante avec ses orages, ses cyclones et ses coulées de boue. C'est d'ailleurs un déchaînement de la nature qui emportera à jamais ses deux frères et le remplira d'un vide, d'une souffrance et surtout d'un sentiment de culpabilité qu'il lui sera difficile d'effacer. Leur installation après cette tragédie à Beau-Bassin, près de la prison où sont détenus les Juifs déportés dont personne ne semblait connaître l'existence, et sa rencontre avec David n'effaceront que momentanément cette souffrance et ce sentiment de culpabilité, qui referont surface après la mort tragique de David, devenu entre-temps son fidèle compagnon et « frère ».

L'originalité de ce récit, outre le fait de ramener à notre souvenir l'histoire des Juifs déportés à Maurice, se trouve dans la façon dont l'auteur a campé avec intelligence et finesse cette histoire et ses personnages dans un décor très réaliste qui dépeint avec une grande précision le paysage mauricien. Cette nature omniprésente renforce le silence et tous les sentiments sombres (la culpabilité, la souffrance, la honte, la tristesse, la mort...) qui entourent les personnages, pris eux-mêmes dans ce va-et-vient constant entre le passé et le présent, entre l'enfance et l'âge adulte, qu'opère le narrateur. En même temps qu'un petit voyage dans l'île, - plus prison que paradis -, dans cette nature parfois bruyante et parfois silencieuse, qui à la fois réconforte et fait peur, qui plus qu'un simple décor participe également au récit, on a aussi l'impression de voyager à travers d'autres ?uvres littéraires (Lindsey Collen, Bernardin de Saint-Pierre, Marie-Thérèse Humbert ou encore Naipaul, Chamoiseau...) qui ont aussi décrit ce paysage ou des paysages similaires. Mais ce qui est encore plus frappant dans ce récit, c'est la manière dont l'auteur nous raconte l'histoire (la petite histoire personnelle) de deux personnes, Raj et David, mises en relation sur cette île par la ruse de l'Histoire. Ce roman, plus que les autres romans du même auteur, semble de ce fait avoir une dimension encore plus universelle.

Priscilla R. APPAMA

1. *Camp : nom donné à Maurice aux petits villages (avec des huttes ou des maisons de fortune) formés souvent aux alentours d'une propriété sucrière et dont les habitants (hommes) travaillent dans les champs de canne.*

Salim Hatubou, des « valises dans la tête »

Ali Abdou Mdahoma*

Salim Hatubou est né le 20 juin 1972 à Hahaya, aux Comores. Il s'installe à Marseille à l'âge de neuf ans, où il devient nostalgique de son enfance comorienne, de ses contes et légendes. À trois ans, il a perdu sa mère, emportée par le choléra. Des Comores, il connaît peu de choses. Des siens pas beaucoup plus. La fratrie, sept frères et sœurs, a été élevée par une grand-tante devenue, par le jeu subtil et complexe de la tradition, la grand-mère. Son père a toujours été absent, parti dès les années 1970 à Madagascar, à la Réunion puis en France. Si la mémoire est douloureuse, elle peut aussi être un onguent. De sa mère, Salim a choisi de « *parler de sa vie plutôt que de sa mort, pour se réconcilier avec soi-même. Pour trouver le chemin de la sérénité* ». Comme talisman, il emportera avec lui « *une pierre blanche* », « *silencieusement confidente* » de sa mère. À son père, il lance cette adresse : « *Mon père, je pose ma main sur tes blessures pour que les miennes se referment. Mon père, je pose ma main sur ton passé pour que s'ouvre mon horizon. Mon père, pose ta main sur ma main pour que guérisse l'arbre de mes racines.* »

Adolescent, il écrit des nouvelles et des articles, publiés dans diverses revues ou magazines. Salim Hatubou publie son premier recueil en 1994, avec *Contes de ma grand-mère*[1]. Suivront d'autres recueils qui confirment son talent de conteur, *Aux origines du monde : Contes et légendes des Comores, genèse d'un pays bantu*[2] ; *Sagesses et malices de Madi, l'idiot voyageur*[3] ; *Trois contes vagabonds*[4]. Mais c'est surtout après la parution de son premier roman, *Le sang de l'obéissance*[5], qu'il se fait connaître. Hatubou procède, par l'histoire individuelle de Fatma, à une critique acerbe des mariages arrangés et remet en cause plusieurs aspects des traditions comoriennes. Un roman qui a suscité de l'intérêt, des controverses et a été considéré par certains comme scandaleux et provocant. Dans un style poétique, violent et subversif, *Métro Bougainville : des Comoriens*[6] aborde les thèmes de prédilection de Salim Hatubou : la « *mémoire* » et « *l'identité* ».

Auteur engagé et prolifique, il se distingue des autres plumes de l'archipel comme Mohamed Toihiri, Aboubacar Saïd Salim, Abdou Salam Baco ou Nassur Attoumani, dans la mesure où il ne vit que de l'écriture et n'hésite pas à aborder des sujets tabous comme le « Grand mariage » ou la polygamie. Il est ainsi devenu

---

* *Ali Abdou Mdahoma est né en 1967 à Chezani, aux Comores. Nommé conseiller technique à la présidence de la République en 1990, il poursuivit des études de lettres modernes à Paris 8 de 1991 à 1994. Ancien enseignant au lycée de Moroni de 1995 à 2000, il est actuellement en doctorat à Paris 12.*

1. *Paris, L'Harmattan, 1994.*
2. *Paris, Flies France, 2004.*
3. *Paris, Albin Michel-Jeunesse, 2004.*
4. *Paris, Flies France, 2005.*
5. *Paris, L'Harmattan, 1996.*
6. *Marseille, Éditions Via Valeriano, 2000.*

Une œuvre qui se démarque du canon littéraire occidental.

Le traumatisme et le choc qu'il a subis à cause de la mort soudaine de sa mère reviennent et constituent un *leitmotiv* douloureux.

le pionnier de cette jeune littérature comorienne d'expression française. Régulièrement invité à des manifestations culturelles et littéraires, Hatubou organise des ateliers d'écriture pour les plus jeunes, dans l'océan Indien. Il a assisté à un salon du livre organisé par l'ADBEN-Réunion, autour du thème « *Île était une foi* ». C'était une occasion pour Hatubou de partager sa passion de conteur-écrivain avec des auteurs venus d'Europe, d'Afrique et de l'océan Indien, mais aussi un moyen de communiquer la « *mémoire* » comorienne aux différents visiteurs du salon, par le biais de sa matière de prédilection : le conte.

La réalité comorienne constitue l'une des principales sources d'inspiration de son œuvre. En s'imprégnant des réalités sociopolitiques, Hatubou confère une identité à son œuvre, qui se démarque du canon littéraire occidental mais qui cherche en même temps à occuper par son originalité une place dans « la république mondiale des lettres ».

Après avoir obtenu son DUT, il se consacre exclusivement à l'écriture. Son roman *L'odeur du Béton*[7] (1999) montre les problèmes auxquels les jeunes issus de l'immigration se confrontent pour trouver du travail. Salim Hatubou axe son œuvre sur l'identité et la mémoire. Il se rend régulièrement aux Comores pour effectuer des recherches. Dans la plupart de ses ouvrages, le traumatisme et le choc qu'il a subis à cause de la mort soudaine de sa mère reviennent et constituent un *leitmotiv* douloureux. Ainsi naissent parfois les vocations.

Dans son roman intitulé *Marâtre*[8], l'auteur aborde un sujet d'actualité avec lucidité. Dans les années 1970 et 1980, toute une génération de Comoriens s'est retrouvée en France face à des marâtres ou des tantes haineuses. Il invite à mieux connaître les Comoriens de France à travers une histoire et une quête toute personnelle des origines. Son projet, où poésie et images se mêlent, reflète l'expérience collective de la migration comorienne et les interrogations identitaires des plus jeunes.

Le sujet de l'immigration comorienne à Marseille lui tient à cœur. Sa mère a vécu et grandi sur l'île de Zanzibar de l'âge de 5 ans à celui de 30 ans. Comme lui, elle est une enfant de la migration. En 1964, avec d'autres Comoriens, elle a dû fuir les persécutions qui accompagnaient l'accession du pays à l'indépendance. L'histoire de la migration comorienne s'inscrit dans les mémoires aussi comme l'histoire d'une peur. Celle des persécutions et des expulsions. Pour Salim, chaque Comorien a ses « *valises dans sa tête* », prêt à partir au plus vite d'un pays qui,

7. Paris, L'Harmattan, 1999.
8. Moroni, KomEdit, 2003, p. 123.

Son projet, où poésie et images se mêlent, reflète l'expérience collective de la migration comorienne.

comme à Zanzibar en 1964 ou à Madagascar en 1978, le chassera. Cette même peur renaît chez les Comoriens de Marseille après l'assassinat d'Ibrahim Ali, le 22 février 1995, par des colleurs d'affiches du Front National.

Salim Hatubou évoque cette peur : « *Au milieu de la nuit, les bêtes sauvages s'en vont boire au marigot. Leurs griffes tracent des sillons sur les plaines. Je vois, mon père, un faon, qui bondit d'un rocher à un autre. Alors, les bêtes sauvages le lacèrent et en font leur festin.* » L'écrivain Salim Hatubou, contrairement à ses confrères comoriens, aborde des sujets et des thèmes divers. La révolution et ses lots de souffrances, la restauration d'Ahmed Abdallah, qui a fini par la création du parti unique et le mercenariat, sans oublier le séparatisme et le « *visa Balladur* », qui fait que des Comoriens périssent dans les eaux de Mayotte en empruntant des embarcations de fortune.

Ali Abdou MDAHOMA

Salim Hatubou © Cultures Sud

Salim HATUBOU

Les Démons de l'aube

Paris, L'Harmattan, 2006, 178 p. (coll. « Lettres de l'océan Indien »)
16 €

Rédigé sous la forme d'un pamphlet, ce roman nous embarque dans Kaltex, bidonville de Moroni aux Comores. L'auteur fait allusion à Issoufa Mmadi pour narrer l'histoire tragique d'une jeunesse livrée à elle-même. L'histoire est centrée autour du discours d'Issou, un orphelin de douze ans. Celui-ci vend des unités près des cabines téléphoniques du marché Volo-Volo. Le texte narre le sort des enfants de la périphérie de la capitale des Comores, des jeunes désabusés, vaincus et abattus par la vie. Issou n'est pas le seul adolescent à avoir abandonné l'école au profit de la vente des unités. Jellounah – la seule fille du récit, belle et intelligente – fascine Issou, qui n'a d'yeux que pour elle. Le registre du français est sérieusement modifié, comme pour mieux souligner la dégradation du système éducatif aux Comores. Le roman s'ouvre sur Issou, enfant malin et naïf, condamné à vivre dans la misère, qui décide de nous raconter sa vie.

À l'instar de Kourouma, Salim Hatubou adapte le français au comorien et opère un renversement des langues et des styles pour les renouveler et créer un discours novateur et unique par sa propre langue d'écrivain. En effet, celle-ci permet aussi de dénoncer les différentes aliénations et dérives du pays.

La lutte contre l'oppression est constitutive de l'identité du narrateur qui se manifeste dans la déconstruction de l'écrit. Et c'est dans un esprit de ras-le-bol que les enfants décident de prendre le destin du pays en main afin de réparer les injustices. Le roman bascule alors dans l'utopie.

Les enfants gouvernent le pays sous l'autorité de Jellounah, la fille mère. Kaltex devient capitale des Comores et *Jellounah*, chanson de Salim Ali Amir, devient l'hymne national. La nouvelle république est dominée par la violence. Le lecteur assiste à l'effondrement de la société utopique caractérisée par un havre de paix mais qui devient une société anarchique. L'essentiel est la réflexion sociopolitique qui s'inscrit dans la continuité du projet romanesque de l'écrivain, à savoir : quel avenir pour ces enfants privés d'école ? L'utopie a pour mission de témoigner et d'exorciser le réel par une mise en scène problématique des difficultés comoriennes.

En effet, l'incurable misère du pays pousse Jellounah à donner « *sa virginité à un chien de Grands-Quelqu'un !* ». La pudeur du langage et l'esthétisme qui caractérisent généralement le discours traditionnel sont transformés chez Salim Hatubou en une logorrhée révolutionnaire qui use d'une rare violence langagière, proche du vulgaire. Issou, Jellounah, ainsi que les autres jeunes de Kaltex vivent une descente aux enfers et leurs rêves sont piétinés. L'horreur va *crescendo* et atteint son paroxysme dans l'épisode utopique marquant un renversement politique.

Loin de brosser un décor exotique de la capitale comorienne, les cadavres qui jonchent le sol contrastent avec les images qui ornent fréquemment les cartes postales. Salim Hatubou laisse présager le pire dans une société qui sombre dans le désespoir et se trouve au bord du gouffre.

L'épopée qu'annonce l'auteur lui-même en préambule est une épopée habitée par l'horreur et la misère. Et pourtant, malgré cette vision cauchemardesque, s'élève une histoire d'amour, celle d'Issou et Jellounah, une histoire qui, en dépit de sa force, devient complètement absurde dans ce milieu de violence et de haine.

La singularité de Hatubou réside dans ce projet littéraire ambitieux qui fait de l'écriture un travail d'interrogation et d'investigation langagières.

Ali Abdou MDAHOMA

Shenaz Patel : dans les méandres de l'identité mauricienne

Jean-Louis Joubert*

Shenaz Patel appartient cette génération de jeunes écrivains nés dans les années 1960 qui ont considérablement renouvelé la littérature mauricienne. Ils ont voulu en finir avec l'imagerie folklorique qui condamnait leur île à n'être qu'un paradis pour touristes et ils n'ont pas hésité à mettre l'accent sur l'envers du décor et sur la misère matérielle et morale qui ronge certaines régions de l'île ou certaines couches de la population. Son métier de journaliste ne pouvait que l'incliner vers ce souci de l'observation et du compte rendu. Mais ce serait une grave erreur d'en déduire que son esthétique se limite à celle du reportage. Shenaz Patel a su forger une écriture personnelle et sensible, qui suggère autant qu'elle décrit : *Sensitive*[1], le titre d'un de ses romans, semble s'afficher comme un programme littéraire.

Son premier roman, *Le Portrait Chamarel*[2], édité à La Réunion, démêlait les fils d'une généalogie complexe et de métissages souvent mal acceptés. L'héroïne, orpheline enfermée dans un couvent après la mort de sa mère, apprend à (re)découvrir ceux qui constituent sa famille. Le roman plaque ainsi les accords (et désaccords) d'un thème fondamental dans les romans de l'île Maurice : celui de la recherche (ou du déni) d'une identité. Le roman montre combien la revendication d'une appartenance peut être ambivalente, lorsque l'héroïne s'écrie : « *Je n'ai pas de famille. Je ne veux pas de votre famille. Je n'ai que faire de vos racines. Elles m'entravent, elles m'étouffent.* »

Avec *Sensitive*, Shenaz Patel découvre les subtilités d'une narration conduite à la première personne. Le roman se construit comme une suite de lettres ou un journal intime qu'écrit une petite Mauricienne d'une dizaine d'années, en s'adressant au « Bondié », qu'elle prend à témoin de tout ce qu'elle découvre d'injustice, d'incompréhensible, mais aussi de merveilleux dans le monde. L'un des grands événements de sa vie d'enfant est une promenade à la mer, qu'elle n'avait encore jamais vue. Elle en rapporte une précieuse bouteille d'eau de mer, qu'elle garde soigneusement. Autre sujet d'émerveillement : la possession d'un kaléidoscope, tube magique qui donne une autre vie aux couleurs du monde. Pourtant une menace rôde autour de l'enfant : ce personnage qu'elle nomme « Lui » et qui est le compagnon de sa mère. La petite fille doit souvent sécher

---

* *Longtemps enseignant à l'université de Tananarive (1964-1973), Jean-Louis Joubert a ensuite été nommé à l'université de Paris XIII, où il a dirigé le Centre d'étude littéraires francophones et comparées. Il a notamment publié un Petit guide des littératures francophones (Paris, Nathan, 2006) et un essai sur la francophonie littéraire : Les Voleurs de langue (Paris, Éditions Philippe Rey, 2006).*

1. *Paris, Éditions de l'Olivier, 2003.*

2. *Saint-Denis de la Réunion, Éditions Grand océan, 2001.*

Mettre l'accent sur une réalité mauricienne souvent occultée.

l'école pour ne pas montrer les traces de coups qu'elle garde sur le visage. La terrible première phrase du roman (« Hier je suis morte ») suggère des malheurs encore plus graves.

Quelques personnages secondaires donnent un arrière-plan au récit, en évoquant la réalité du village où vit la petite narratrice : les voisines, Nadège qui est douce et belle comme la Vierge, Ton Faël, réfugié de Diego Garcia (le personnage semble un pilotis pour annoncer le roman suivant), les conséquences de la mondialisation qui fait fermer les usines et met les femmes du village au chômage. Il y a aussi Garson, dont on découvre à la mort de sa tante qu'« *il n'existe pas* » : « *il n'a jamais été déclaré, aucune trace de lui, dans aucun papier officiel. Pas de date de naissance, rien* ». Comme pour redoubler sa non-existence, Garson tente de s'échapper en se cachant dans le réacteur d'un avion pour l'Europe, où on le retrouvera gelé. Le personnage de Garson, qui refuse de porter le prénom dont on l'avait affublé, manifeste l'échec d'une tentative de retour vers un « pays d'avant » comme la difficulté de poser une appartenance identitaire.

Parallèlement à ses romans, Shenaz Patel a publié régulièrement des nouvelles, en français mais aussi en créole, en particulier dans les volumes annuels de la « Collection Maurice », dirigée par Rama Poonoosamy et Barlen Pyamootoo et publiée à Port-Louis à partir de 1995. Plus récemment, elle figure dans le recueil *Nouvelles de l'île Maurice*[3] avec un texte (« Un monde de douceur ») dont le titre doit se lire par antiphrase : un vieux couple de travailleurs est poussé à la retraite parce que la culture de la canne à sucre périclite. La nouvelle est un genre qui convient particulièrement bien à Shenaz Patel : elle sait faire voir en quelques pages une réalité sociale, les bouleversements de la modernité et les ravages que celle-ci opère dans la vie des êtres.

Son roman le plus récent, *Le Silence des Chagos*[4], témoigne de la maîtrise de son écriture. Elle choisit un sujet qui lui permet à la fois de mettre l'accent sur une réalité mauricienne souvent occultée (le sort réserve aux habitants de l'archipel des Chagos expulsés de leurs îles pour que les États-Uniens y construisent une de leurs redoutables bases aériennes) et de renouveler la thématique de l'identité problématique (un de ses personnages, né sur le bateau qui conduit ses parents

3. Pierre Astier (Sous la dir. de), Paris, Magellan/Courrier International, 2007.
4. Paris, Éditions de l'Olivier, 2003.

Shenaz Patel © Bruno Garcin Gasser

de Diego Garcia à Maurice, est finalement familièrement appelé du nom de ce bateau, comme s'il était un perpétuel nomade, coupé des racines ancestrales). Le roman s'appuie sur des enquêtes journalistiques de la romancière, ce qui donne une grande crédibilité à la parole de ses personnages.

La force des textes de Shenaz Patel tient, entre autres, à leur refus de la démonstration. Elle n'a rien à prouver ni à dicter au lecteur. À celui-ci de décrypter l'implicite et le non-dit.

Jean-Louis JOUBERT

Shenaz PATEL

Le Silence des Chagos

Paris, Éditions de l'Olivier, 2005, 153 p.

16 €

Ce troisième roman de la Mauricienne Shenaz Patel aborde un sujet toujours douloureux sur l'île Maurice : le destin des « *Îlois* », c'est-à-dire des habitants de l'archipel des Chagos qui ont été expulsés de chez eux à la fin de la période coloniale, quand les États-Unis ont acheté aux colonisateurs anglais le droit d'occuper ces petites îles pour y construire une formidable base aérienne, Diego-Garcia, d'où partent aujourd'hui les avions qui vont bombarder l'Afghanistan ou l'Irak. Le roman s'ouvre sur une rapide évocation de l'indépendance de l'île Maurice en 1968, qui marque pour les Îlois la séparation définitive avec leur île maternelle. Un document terrible vient ponctuer la fin du chapitre : une note de l'administration coloniale britannique soulignant sa volonté de garder la propriété de « *quelques rochers* » où ne vivent que des oiseaux :
« *Malheureusement, aux côtés des oiseaux, il y a quelques Tarzans et Vendredis, aux origines obscures, qui seront probablement expédiés à Maurice.* »
Le roman est écrit contre cette morgue coloniale. Il veut protester contre la disparition annoncée d'une petite humanité, dont le seul tort était de vivre à l'écart du monde, dans sa solitude édénique, « *où le temps s'écoulait sans hâte, étale et doux comme la crème d'une noix de coco tendre* ».
La vie aux Chagos est reconstituée à travers la mémoire ou l'imaginaire de plusieurs personnages : Charlesia, venue à Maurice pour accompagner à l'hôpital son mari malade, mais on lui interdit de retourner chez elle, comme si une opération chirurgicale l'amputait de son île ; son amie Raymonde, qu'elle voit à Port-Louis débarquer du navire qui assurait la liaison régulière entre Maurice et les Chagos.
Mais Raymonde n'avait eu que quelques quarts d'heure pour rassembler ses maigres bagages et monter à bord, malgré sa grossesse très avancée ; d'ailleurs, ce fils attendu est né sur le navire, le *Nordvaer*, pendant la traversée. Il a fallu faire une rapide escale aux Seychelles, descendre un canot pour que la mère puisse aller déclarer aux autorités d'état civil la naissance de son fils, Georges Désiré Désir.
Celui-ci en est resté très incertain sur son identité (mauricienne ou seychelloise ?). Il ne comprend pas très bien le nom dont parfois on l'affuble : « *Norbert* » ? Non, lui explique sa mère, c'est *Nordvaer*, le bateau sur lequel il est né. Ce surnom est tout à fait révélateur de son ambivalence : être de l'entre-deux, né de la mer, il n'est ni encore chagossien, ni déjà mauricien. Tout se passe comme si le roman s'écrivait pour répondre à ses interrogations, reconstituer pour lui un monde disparu, faire revivre la convivialité de la pêche, de la récolte du coprah, des ségas joyeux du samedi soir, bref pour forger l'imaginaire dont il a été spolié.
Le livre de Shenaz Patel s'appuie sur une documentation directe et solide. Son métier de journaliste l'a mise en contact personnel avec de nombreux Îlois et elle connaît leur désarroi. Mais elle refuse les éclats de plume et la véhémence d'un réquisitoire. Désiré-Norbert serait prêt à lever l'étendard de la protestation. Mais sa mère sait bien qu'il est trop tard. Elle et ses compagnons ne se sont pas rebellés, par un mélange de « *confiance, de fatalisme, de docilité* ». C'est ce sentiment de l'inéluctable que le roman veut rendre, par son écriture maîtrisée et sensible.
Une remarque discrète, au moment de l'embarquement définitif pour Maurice, souligne que restent dans l'île les ossements des ancêtres. Et Raymonde, qui pense alors à eux, se promet d'accomplir ce qu'elle ne manque jamais : aller fleurir leur tombe pour la fête des Morts. Le roman est à sa façon ce bouquet d'hommage aux ancêtres. Les dernières lignes du roman montrent Charlesia et Désiré qui contemplent le coucher de soleil sur l'océan. Ils savent que « *derrière [...] les attendent ces îles-confettis qu'une main convoiteuse a voulu arracher à leur mémoire* ».

Jean-Louis JOUBERT

Les « sentiers vagabonds[1] » de Barlen Pyamootoo

Nivoelisoa Galibert*

Barlen Pyamootoo est né en 1960 à Trou-d'Eau-Douce, à Maurice. Étudiant, puis professeur de lettres à Strasbourg, il se consacre depuis 1995, dans son pays, à l'écriture et à l'édition. À son actif, deux romans – *Bénarès*[2] (1999 ; 2005)[3] et *Le Tour de Babylone*[4] (2002) –, ainsi que l'édition scientifique et commerciale de quelque vingt titres et la réalisation d'un film (*Bénarès*, 2006), le premier film mauricien en créole mauricien. La maison Immedia de Port-Louis, qu'il dirige avec Rama Poonoosamy, est devenue incontournable pour la place que la collection « Maurice » y accorde non seulement à toutes les langues pratiquées localement – anglais, français, hindi et créole, seule langue partagée –, mais aussi aux femmes. Ces dernières y signent 48 % de la production. C'est dire d'entrée de jeu l'esprit pionnier qui anime cet écrivain, l'un des plus représentatifs de la nouvelle génération indocéanique.

Choisissant le français quand Maurice sort de la colonisation britannique, loin du nomadisme de la diaspora europhone[5], immobile et paradoxalement proche de la géopoétique de Kenneth White, Pyamootoo nous étonne par sa faculté de nous transporter hors d'une réalité postcoloniale désormais périmée. Ses outils sont de très brefs romans qui se caractérisent en peu de mots : ludiques, dépouillés, pudiques. La force de Pyamootoo vient sans doute de cette fausse gratuité qui n'est pas sans rappeler Beckett, le plus célèbre des vagabonds initiateurs[6].

Ludique, la titrographie nous entraîne à nous frotter à deux mondes habités par l'imagination de l'auteur : Bénarès en Inde et Babylone en Irak, deux lieux où l'auteur ne s'est jamais rendu. Comment ne pas buter sur l'article masculin dans « *Le Tour de Babylone* » quand la tour de Babel (nom juif de Babylone) nous confine dans nos clichés bibliques ? Et comment ne pas nous installer au bord du Gange quand le titre *Bénarès* est dupliqué visuellement par un nom d'auteur à consonance indienne ? Dès la couverture, les romans signent le cachet Pyamootoo : visant juste, il se délecte du présupposé du lecteur.

---

* *Professeur des universités à Madagascar, Nivoelisoa Galibert est chercheur associé à l'université de La Réunion et membre du Centre de Recherche sur la Littérature des Voyages (université Paris-Sorbonne). Elle est l'auteur d'une thèse d'État* « Madagascar dans la littérature française de 1558 à 1990 » *(Septentrion, 1997), d'une* Chronobibliographie analytique de la littérature des voyages imprimée en français sur l'océan Indien des origines à 1896 *(Honoré Champion, 2000) et d'un ouvrage* À l'angle de la Grande Maison : les lazaristes du Fort-Dauphin de Madagascar *(1648-1661), (Presses de l'université Paris-Sorbonne, 2007).*

1. *Expression empruntée aux 44 signataires de « Pour une littérature-monde en français », Le Monde des Livres, édition du 16 mars 2007. En ligne. URL : <http://www.lemonde.fr>. Site consulté le 15 mars 2007.*
2. *Paris, Éditions de l'Olivier, 1999.*
3. *La pagination renvoie à l'édition de 2005.*
4. *Paris, Éditions de l'Olivier, 2002.*
5. *Cf. Abdourahman A. Waberi,* Routes, Rifts et rails, *Gallimard, 2001 ; Michèle Rakotoson,* Làlana, *Aube, 2002 ; Edwidge Danticat,* After the Dance, *Crown, 2002 ;* Les Années 80 dans ma vieille Ford, *Mémoire d'encrier, coll. « Chronique », 2005*
6. *Cf. Michel Maffesoli,* Du nomadisme. Vagabondages initiatiques, *Paris, Livre de Poche, 1997, coll. « Biblio-Essais ».*

Barlen Pyamootoo © John Foley/Opale

Ni *road movie*, ni intrigue, ni emphase, la simplicité du réel transparaît dans le « *dépouillement* » selon l'auteur des conversations d'un soir à l'arrière d'un van : Bénarès rapporte le trajet nocturne de deux amis, dont l'un a gagné aux cartes, et qui ont ainsi l'opportunité de ramener deux prostituées dans leur village mauricien éponyme. Dans le défilement du décor, point de realia exotiques. Champs de cannes, cases sans vie et aboiements de chiens suffisent. La conversation est négation de toute hyperbole : imaginaire, la Bénarès indienne évoquée répond aux clichés du sens commun (« *"On les voit partout [les mourants]", et j'ai réfléchi à ce qu'on peut faire en pareil cas [...]* », p. 68). Le récit emprunte à l'oralité présent et passé composé, sobriété des verbes introductifs, simplicité des dires et gestes. Le lecteur est alors touché par le plein et le délié de la plume :

« *"Ils font parfois un voyage long et pénible, rien que pour mourir à Bénarès, pour être sûrs d'aller au paradis..." "Et même si c'est un criminel, a demandé Zelda, est-ce que lui aussi ira au paradis ?"* J'ai répondu que même un criminel, bien sûr, puisqu'il n'y a que mourir à Bénarès qui compte. *"Alors c'est cruel"*, a marmonné Zelda, et un instant, elle a gardé le silence. [...] *"Ce n'est cruel que pour ceux qui croient au paradis. Pour ceux qui n'y croient pas..." "C'est quand même injuste." [...] "Les pauvres"*, a dit doucement Zelda [...] », (p. 64-70).

L'auteur nous invite à explorer les dimensions symboliques de la réalité.

Les romans de Pyamootoo sont une belle leçon d'humilité intellectuelle.

En effet, comme pour confirmer la règle du dépouillement scriptural, cette conversation de *Bénarès* campe la seule acmé de toute l'œuvre de Pyamootoo. Et cependant, en refermant aussi bien *Bénarès* que *Le Tour de Babylone*, nous avons l'impression d'être allés capter le souffle de tout un monde. De fait, nous voici aux confins d'incipits qui ne seront pas suivis de péripéties. Car l'auteur se « *déroute* » (p. 66) de lui-même des voies ouvertes au lecteur.

Enfin, opposé à l'hexis subtile des Zelda, Mina et Mayi de *Bénarès*, le corps – ce lien préexistant hors champ entre écriture et cinéma – est dans *Le Tour de Babylone* en perpétuel mouvement. On y « *déambule* », « *marche* », « *parcourt* » « *talonne* » « *traîne* », « *court* », « *traverse* », « *tourne* », « *fuit* », « *dévale* », « *démarre* » « *clopine* », « *s'éloigne [...] jusqu'à disparaître* » (*tp, passim*).

L'un dans l'autre, comme dans un monde inversé, Pyamootoo nous invite à explorer les dimensions symboliques de la réalité. Il le fait en mentant vrai, dans la logique ludique de la géographie et dans la mise à nu des obsessions culturelles identitaires sous-jacentes. Tout cela à la faveur d'un travail d'écriture impalpable à l'arrivée : on entre dans cette littérature sans l'effraction obligée d'un monde inouï. L'engagement est bel et bien inhérent à la littérature[7] : « *Oui, le dépouillement, c'est très difficile...* », reconnaît Pyamootoo. Mais il a beau insister sur sa « *chance de chien* », il est l'« *esthète, penseur autonome*[8] » qui se distingue de la génération établie par le choix du désengagement, extrémité de l'émotion, soit encore de l'indicible. Il se réalise dans l'ellipse des titres mais aussi des sujets abordés, dans l'interstice entre le hameau mauricien déserté, la nébuleuse ville mouroir des fantasmes hindous et la fenêtre entrouverte sur l'Irak, sa « *patrie imaginaire*[9] ». Dès lors, le dépouillement se donne ici à lire comme ce travail intellectuel qui n'amoindrit pas les procédés littéraires recherchés au nom de l'urgence d'un message quel qu'il soit. Les romans de Pyamootoo sont une belle leçon d'humilité intellectuelle.

Nivoelisoa GALIBERT

7. Cf. *Séverine Liard, « L'engagement est-il inhérent à la littérature ? », in Jean Kaempfer, Sonya Florey et Jérome Meizoz (éds.),* Formes de l'engagement littéraire (XVe-XXIe siècles), *Lausanne, Éditions Antipodes, 2006.*

8. Cf. *taxinomie établie par Gisèle Sapiro : « les notables, [...] écrivains "établis", les "esthètes" , [...] penseurs autonomes, les avant-gardes, garants de la liberté d'écriture, et les auteurs "professionnels" [...] prêts à tout pour du sensationnel », ibid.*

9. *Barlen Pyamootoo, « [...] J'ai un lien affectif avec l'Irak. Ce pays est devenu ma patrie imaginaire parce qu'il a traversé toute mon enfance », interview en ligne. URL : http://www.servihoo.com/channels/nu_pays/talents_ecrivains_details.php?id=2474. Site consulté le 13 mars 2007.*

Barlen PYAMOOTOO
Le tour de Babylone
Éditions de l'Olivier, 2002, 105 p.
11 €

« *"Faire le tour de Babylone" [...] signifie : [...] dévier de son chemin* », annonce l'exergue. Avec cet opus, Pyamotoo ne publie que son deuxième roman. Mais s'il écrit de Maurice, sa critique compte d'ores et déjà plusieurs signatures hexagonales. Son écriture impressionne par l'art du dépouillement. Toutefois, ce qui échappe à ceux qui voient dans ces romans « *lourds de talent* » exclusivement une dimension « *universelle* » ou « *beckettienne* », c'est la signifiance mauricienne, qui, sans aller jusqu'à la critique herméneutique, amène le lecteur indocéanien à repérer les tensions insulaires.

Roman du nomadisme physique, *Le Tour de Babylone* se lit dans la logique minimaliste de Bénarès (1999) : rappeler de façon anodine que la Bénarès de Maurice est un faible écho de Bénarès en Inde constituait déjà une mise au point. Celle-ci devient une mise en touche quand le narrateur chemine sans fin aux côtés d'un Hassan dans un Irak en guerre sous le portrait omniprésent de Saddam. Si l'engagement était inhérent à la littérature, qui Pyamootoo pointerait-il du doigt ? Dans le désœuvrement populaire grouillant de mouvements, le « vous » éthique devient une des rares figures de style que se permet l'auteur pour confondre l'émiettement du réel insulaire face aux guerres continentales : « *Ils savent que vous n'êtes pas d'ici.[...] : "C'est la première fois que tu viens en Irak", puis ils m'invitent à parler de mon pays, qui reste un mystère pour eux, malgré mes envolées sur les champs de canne. En dernier recours, je trace deux cercles dans l'air, un gros à côté d'un petit [...]. Ils rient de toutes leurs dents ou ils s'en foutent : ils ne connaissent pas Madagascar non plus.* » Parallèle elliptique qui rappelle qu'à Maurice, la Constitution attribue un statut particulier aux Indiens et aux Chinois, le reste participant de la « *population générale* », confondant « *Gros Blancs* » et créoles d'ascendance africaine ou malgache. Les phantasmes des Indiens au pouvoir constituent le point aveugle du lecteur non averti. Pyamootoo est ce Mauricien dévoyé qui entreprend le chemin des écoliers pour faire fourcher sa plume en dupliquant des lieux et créer les liens : « *Dans mon pays aussi, il y a la guerre* », écrit-il, renvoyant aux « jours Kaya[1] », où des émeutes populaires ont suivi l'annonce de la mort mystérieuse du chanteur emblématique de la créolie mauricienne.

Presque blanche toutefois, l'écriture de Pyamootoo reste universelle. Le dépouillement qui la sous-tend passe nécessairement par la complicité de tout lecteur. Celui-ci reste libre de suivre le transfuge des artefacts dans les images personnelles : ici, un Hassan qui « *parle tellement vite que [le narrateur] a parfois l'impression qu'il [lui] tire la langue* » (p. 11). Là un « *maçon sur une échelle qui vaut bien une pyramide* » (p. 16). Là encore, « *des rires à couper les têtes du diable* » (p. 77). On marche, « *on marche entre* », « *on marche au milieu de* » (p. 37), et on avance au détour de paragraphes construits en autant d'étapes vers nulle part.

Ainsi, *Le Tour de Babylone* confirme que le succès de Pyamootoo réside dans la lisibilité panoptique de son texte (« *voir Babylone de haut* », p. 53). À chaque époque, son intellectuel : à la faveur de la simple francographie, le chemin des écoliers, où « *les enfants avancent à pas comptés* » (p. 53), où la toponymie se décline en assonances (« *Hilla, Kerbela, Bassorah et Nasiriya* », p. 31), où, entre évocation de poème de Pessoa et nostalgie de son propre village, le narrateur voudrait que « *la fête [l']occupe tout entier* », ce tour de Babylone-là est riche de fruits en libre accès. Grâce à Salma, compagne irakienne du vagabondage, l'on retiendra un autoportrait furtif : « *C'est du gâchis de ne pas connaître son propre pays.* » (p. 98). Et l'on engrangera la tendresse infinie de la différence murmurée à l'oreille : au pays de Pyamootoo, « *les réverbères, on les appelle les barres du jour* » (p. 106).

Nivoelisoa GALIBERT

1. « *"Ne t'en fais pas, dans mon pays aussi il y a la guerre". Quand j'écrivais cette phrase, je pensais aux émeutes [de 1999]* » *En ligne. URL : http://www.servihoo.com/channels/nu_pays/talents_ecrivains_details.php?id=2474. Site consulté le 13 mars 2007.*

5

Actualités

Vient de paraître

La rubrique bibliographique « Vient de paraître » signale les ouvrages reçus en service de presse par *Cultures Sud*. Les résumés figurant avec les notices ont pour sources principales : *Électre*, *Livres-Hebdo*, l'éditeur lui-même, ou ont été rédigés par *Cultures Sud*.. Le pays d'origine de l'auteur, lorsque ce n'est pas la France, est signalé entre parenthèses. Les abréviations inscrites entre parenthèses à côté du titre indiquent le contenu de l'ouvrage : (r.) : roman ; (b.) : biographie ; (p.) : poésie ; (th.) : théâtre ; (c.) : conte ; (n.) : nouvelle ; (j.) : jeunesse. Le prix, chaque fois qu'il est connu, n'est donné qu'à titre indicatif. Compte tenu de l'abondance des ouvrages reçus, les notices des rééditions ne comportent pas de résumé.

Afrique noire

Textes littéraires

Gustave AKAKPO (Togo)
Catharsis (th.)
Carnières-Morlanwelz (Belgique), Lansman, 2006, 48 p.
ISBN : 978-2-87282-567-7
8 €

La reine Ellè déchue accepte une purge symbolique pour que son continent renaisse. Ses trois fils Ilèfou, Ilèki et Ilènoir, abandonnés, viennent à tour de rôle lui demander des comptes et se purger eux-mêmes d'une naissance ratée sur un continent à l'abandon. La cour de la famille royale est réduite à deux clowns, un grand prêtre et un photographe, qui vont encadrer ce rituel vaudou.

Mariama BARRY (Guinée)
Le cœur n'est pas un genou que l'on plie (r.)
Paris, Gallimard, 2007, 208 p. (coll. « Continents noirs »)
ISBN : 978-2-07-078396-0
17 €

Roman autobiographique où l'auteure raconte le parcours d'une toute jeune fille dans la Guinée de Sékou Touré, contrainte de se prendre en main et de résister sans cesse aux coutumes ancestrales et aux malversations humaines.

Calixthe BEYALA (Cameroun)
L'homme qui m'offrait le ciel (r.)
Paris, Éditions Albin Michel, 2007, 224 p.
ISBN : 978-2-226-17715-5
15 €

C'est une histoire d'amour entre deux personnes que rien ne destinait à se rencontrer : elle est noire, africaine, écrivain, et engagée auprès des déshérités. Il est blanc, star de la télé, riche et marié. Dans le Paris des médias, l'amour durera le temps que la lâcheté l'emporte.

André BRINK (Afrique du Sud)
La Porte bleue (r.)
Arles, Actes Sud, 2007, 124 p (coll. « Afrique »)
ISBN : 978-2-7427-6858-5
13, 80 €

Professeur et peintre à ses heures, David est marié depuis toujours à une femme blanche dont il n'a pas d'enfant. Depuis quelques années, il peint dans un petit cottage isolé et silencieux. Un jour, il y est accueilli à bras ouverts par une femme noire et ses deux petits enfants. Pour elle, il est son époux, et pour eux, leur père. David se retrouve dans une spirale infernale et troublante.

Emmanuel DONGALA (Congo-Brazzaville)
La Femme et le Colonel (th.)
Ivry-sur-Seine, Éditions A3, 2006, 100 p.
ISBN : 978-2-84436-143-9
9 €

La femme et le colonel, première pièce publié par Emmanuel Dongala, mais déjà représentée en Europe et en Afrique, met face à face à l'improviste deux personnages qui se sont déjà rencontrés quelques années auparavant dans des circonstances tragiques : un bourreau et sa victime.

Emmanuel DONGALA (Congo-Brazzaville)
Johnny chien méchant (r.)
Paris, Serpent à Plumes, 2007 (1ère éd. 2002), 464 p.
(coll. « Motifs »)
ISBN : 978-2-268-06217-4
9 €

Le roman d'Emmanuel Dongala sur les enfants soldats vient de sortir en poche.

Ibrahim DOUMBIA (Côte-d'Ivoire)
Visa pour le froid (r.)
Paris, L'Harmattan, 2006, 142 p (coll. « Écrire l'Afrique »)
ISBN : 978-2-296-01499-2
13 €

République subsaharienne de Maraoué, à sa naissance, tous les signes sont là pour prédire à Nagama Comara une vie pleinement réussie. Mais la vie est rude, le Coran et les coutumes stricts et impératifs, et la famille qui regarde tout... Tel Ulysse, mais sur terre, Nagama commence ses errances, pour trouver sa place et réaliser son rêve.

Clémentine FAÏK-NZUJI (République démocratique du Congo)
Anya. Roman initiatique (r.)
Bierges (Belgique), Éditions Thomas Mols, 2007, 196 p.
ISBN : 978-2-930480-00-9
16 €

Un appel persistant, déclenché par un mot révélé en rêve, permet à Anya de s'interroger sur ses origines. Elle abandonne tout pour partir en quête de son identité, jusque dans le village de sa famille. Le sage Vuluka, un vieil oncle, l'entraîne dans une conversation mêlée de rêves et de réminiscences.

Nuruddin FARAH (Somalie)
Une aiguille nue (r.)
Traduction de l'anglais par Catherine Pierre Bon. Préface d'Abdourahman Waberi
Nyons (Drôme), L'or des fous éditeurs, 2007, 256 p.
(coll. « Terres d'écritures »)
ISBN : 978-2-915995-07-7
20 €

Récit où l'auteur joint à la chronique amoureuse une déambulation dans la ville de Mogadiscio, en même temps qu'une analyse fouillée de la psyché de ses personnages.

Laurent GAUDÉ
Dans la nuit Mozambique (r.)
Arles, Actes Sud, 2007, 160 p.
ISBN : 978-2-7427-6781-6
16 €

Recueil de quatre récits autour de la folie, du désespoir, de la cruauté et de la sauvagerie propres à tout un chacun.

Rachid HACHI (Djibouti)
L'enfant de Balbala (r.)
Paris, L'Harmattan, 2007, 164 p (coll. « Encres noires »).
ISBN : 978-2-296-02793-0
14,50 €

Samatalis, un jeune garçon né le jour de la défaite de la Somalie dans la guerre qui l'oppose à l'Éthiopie, se fait raconter l'histoire de sa naissance et de son enfance par sa mère.

Lieve JORIS
La chanteuse de Zanzibar (r.)
Traduit du néerlandais par Nadine Stabile.
Arles, Actes Sud, 2007 (1ère éd. 1995), 228 p. (coll. « Babel »)
ISBN : 978-2-7427-6799-1
7,50 €

À travers ses rencontres avec des hommes et des femmes du tiers-monde, simples citoyens, ou personnalités connues, l'auteur aborde les questions de la conquête de la démocratie, des religions, de l'argent, de la culture de masse ou des effets de la mondialisation télévisuelle.

Lieve JORIS
L'Heure des rebelles (r.)
Traduit du néerlandais par Marie Hooghe.
Arles, Actes Sud, 2007, 304 p. (coll. « Aventure »)
ISBN : 978-2-7427-6804-2
21 €

Kinshasa, 2003 : Joseph Kabila succède à son père comme président du Congo. La guerre civile s'achève, des élections doivent avoir lieu, un gouvernement provisoire s'installe. Assani, militaire de longue date récemment promu général et témoin actif des conflits, arrive en ville avec ses hommes. Originaires de l'Est, ils sont considérés comme des rebelles.

Kalambay KALULA (République démocratique du Congo)
Apatride (p.)
Dakar, Éditions Panafrika/Silex/Nouvelles du Sud, 2006, 96 p.
ISBN : 978-2-912724-37-3
Prix non communiqué

La poésie de Kalambay Kalula est une poésie où souvenirs et regrets, rêves et cauchemars se mêlent. Le ton est noir, parfois violent, douloureux en tout cas. Des textes tristes qui dressent le constat de tous ces maux qui détruisent l'homme : fratricide, haine, terreur. Un poésie qui veut préserver l'humain écrasé, encerclé par la mort et l'oppression.

Moussa KONATÉ (Mali)
L'empreinte du renard. Meurtres en pays dogon (r.)
Paris, Éditions Points, 2007, 268 p.
ISBN : 978-2-7578-0305-9
7 €

Nous signalons la sortie en poche du livre de Moussa Konaté paru chez Fayard en 2006.

Ayavi LAKE (Sénégal)
N'Dakaru, fragments d'amour (r.)
Roissy-en-Brie, Les éditions Cultures Croisées, 2007, 142 p.
ISBN : 978-2-913059-28-7
17 €

Récit de la vie et des amours de N'Dakaru, jeune Sénégalaise et de Samy, jeune rouquin, dans la ville de Dakar.

Léonce Wendmalguéda SAWADOGO (Burkina Faso)
Les eaux dans la calebasse (r.)
Paris, L'Harmattan, 2007, 188 p. (coll. « Écrire l'Afrique »)
ISBN : 978-2-296-02502-8
16 €

Deux villages du Burkina Faso, Toguin et Noabguin, sont séparés par la rancune depuis plus de cent ans. Après les indépendances, l'administration décide de réunir ces deux entités en une seule. Yamba et Téné, issus de familles ennemies, s'aiment secrètement comme leurs ancêtres dont l'amour opposa les villages. Leur liaison déchaîne la haine jusqu'au crime.

Clément Francis SEKA ANGUI (Côte-d'Ivoire)
L'Ombre d'Afrique. Tome 2 (r.)
Paris, Société des Écrivains, 2006, 352 p.
ISBN : 2-7480-1542-8
20 €

Ce roman a pour but de nous faire découvrir la culture africaine notamment celle des Akans en s'intéressant à des choses aussi diverses qu'aux causes et conséquences du mariage forcé, aux effets sur les populations africaines de la pénétration des premier colons et de l'instauration du christianisme dans des milieux animistes…

Sayouba TRAORÉ (Burkina Faso)
Les Moustaches du chat (r.)
La Roque-d'Anthéron, Vents d'ailleurs, 2007, 192 p.
ISBN : 978-2-911412-48-6
16 €

L'auteur trace le devenir d'individus au destin ordinaire, qui empruntent le chemin de leur vie, motivés par l'amour, l'ambition et le désir de braver l'autorité et l'interdit. Gara, teinturier, doit se plier aux règles de sa communauté burkinabé, dictées par le roi et la tradition. Mais l'insoumission sommeille et un évènement va précipiter le village dans la guerre et contraindre Gara à l'exil.

Pie TSHIBANDA (République démocratique du Congo)
Un fou noir au pays des Blancs (r.)
Bruxelles, Le Grand Miroir, 2007, 128 p.
ISBN : 978-2-87415-774-5
15 €

Réfugié congolais arrivé en Belgique en 1995, Pie Tshibanda raconte son exil et comment il a cherché par tous les moyens à s'intégrer et à se faire accepter par la société occidentale.

Tchicaya U TAM'SI (Congo-Brazzaville) (Introduction de Boniface MONGO-MBOUSSA)
Arc musical précédé de **Épitomé (p.)**
Paris, L'Harmattan, 2007, 176 p. (coll. « Encres noires »)
ISBN : 978-2-296-03007-7
16 €

Réédition d'*Épitomé* (1962) et *Arc musical* (1968) qui sont deux recueils de poèmes à l'écriture baroque et à la structure éclatée. Ils évoquent l'angoisse existentielle de l'auteur et la souffrance du Congo, de Lumumba, des autres Noirs morts à Pretoria, Antsirabé ou Harlem, mais aussi le rire, l'aventure humaine.

Marcel ZANG (Cameroun)
Pure vierge (th.)
Arles, Actes Sud, 2007, 128 p. (coll. « Papiers »)
ISBN : 978-2-7427-6728-1
18 €

Alex, joueur professionnel et beau parleur, parie l'annulation d'une grosse dette sur une seule affirmation : son amie Deborah, une beauté aux charmes ravageurs, est toujours vierge.

Études

AFRICA
An LXII – n4 1. Mars 2006
Rome, Herder Editrice e Libreria International Book Center, 2007, 170 p.
ISSN : 0001-9747

Ce numéro de la revue italienne consacrée à l'Afrique s'intéresse, entre autres, dans ce numéro à l'Afrique australe et à la Côte-d'Ivoire.

Serge BAILLY
Le poisson te dit que le crocodile est malade. Chronique des élections congolaises
Bruxelles, Éditions la mesure du possible, 2007, 184 p.
ISBN : 978-2-930441-13-9
11 €

Ces chroniques s'intéressent à un événement qui est un tournant dans l'histoire de la république démocratique du Congo indépendante depuis 1960, les élections libres qui ont eu lieu pour la première fois en 2006.

Denis COGNEAU
L'Afrique des inégalités : où conduit l'histoire
Paris, Éditions Rue d'Ulm/Presse de l'École normale supérieure, 2007 (coll. du « CEPREMAP »)
ISBN : 978-2-7288-0378-1
3 €

L'Afrique sub-saharienne est non seulement le sous-continent le plus pauvre de la planète, mais aussi le plus inégal, accumulant de larges écarts de richesse entre nations. L'auteur souligne le poids de cet héritage inégalitaire tout en montrant qu'il ne constitue pas une fatalité.

Momar-Coumba DIOP (Sénégal), Jean BENOIST.
L'Afrique des associations. Entre culture et développement
Dakar/Paris, Crepos/Éditions Karthala, 2007, 296 p
(coll. « Hommes et sociétés »)
ISBN : 978-2-84586-831-1
25 €

Cet état des lieux montre l'importance de la vie associative en Afrique face aux dérives de la démocratie représentative et aux abus des pouvoirs totalitaires, et son rôle au quotidien comme au niveau des grandes questions sociales : santé, environnement, développement, culture.

Moussa DJIRÉ, Abdel Kader DICKO (Mali)
Les conventions locales face aux enjeux de la décentralisation au Mali
Paris, Éditions Karthala, 2007, 280 p.
ISBN : 978-2-84586-867-0
25 €

L'installation de la démocratie pluraliste, la construction de l'Etat de droit et la réforme de décentralisation sont les grandes mutations qui sont en cours au Mali depuis plus d'une dizaine d'années. Des expériences de conventions locales s'efforcent de promouvoir une gestion concertée des ressources naturelles. Cet ouvrage fait le point sur l'état de ces conventions.

Bruno ESSARD-BUDAIL, Jean-Ferdinand TCHOUTOUO (Cameroun), Fernando d'ALMEIDA (Cameroun/Bénin)
Anthologie de la littérature camerounaise
Yaoundé, Afrédit, 2007, 322 p.
ISBN : 978-9956-428-14-0
5000 FCFA

En plus de 315 pages, cette anthologie conçue pour un large public (intellectuels de tous les milieux, chercheurs, lecteurs soucieux d'en savoir un peu plus sur la riche littérature camerounaise) propose des textes variés, classés selon une double entrée chronologique et générique.

Pierre FANDIO (Cameroun)
La littérature camerounaise dans le champ social. Grandeurs, misères et défis
Paris, L'Harmattan, 2006, 246 p. (coll. « Études africaines »)
ISBN : 978-2-296-02370-3
22,20 €

Histoire de l'institution littéraire camerounaise, c'est-à-dire de l'ensemble des instances de production, de diffusion et de consommation du discours de création et critique dans la mesure où elles entretiennent des relations d'interdépendance. L'étude concerne la littérature de langues française et anglaise sur la période qui va des années 1940 à la fin des années 1990.

Apollinaire Anakesa KULULUKA (RDC)
L'Afrique subsaharienne dans la musique savante occidentale au XXe siècle
Paris, Éditions Connaissances et Savoirs, 2007, 788 p.
ISBN : 978-2-7539-0054-7
32 €

L'auteur examine le processus historique interactif par lequel les musiques africaines ont influencé les compositions savantes occidentales du XXe siècle. Il étudie également les détails techniques de leur traitement dans les œuvres des musiciens contemporains concernés.

Ambroise Jean-Marc QUEFFÉLEC, Omer MASSOUMOU (Congo-Brazzaville)
Le français en république du Congo sous l'ère pluraliste (1991-2006)
Paris, Éditions des archives contemporaines, 2007, 454 p.
ISBN : 978-2-914610-42-1
45 €

À travers un inventaire de 1350 articles, l'ouvrage rend compte des évolutions sociolinguistiques et de la composante lexicale du français au cours de ces quinze dernières années en République du Congo.

André Julien MBEM (Cameroun)
La quête de l'universel dans la littérature africaine. De Léopold Sédar Senghor à Ben Okri
Paris, L'Harmattan, 2007, 98 p. (coll. « Critiques littéraires »)
ISBN : 978-2-296-02675-9
11 €

Cet ouvrage présente des réflexions sur Léopold Sédar Senghor, Ben Okri et Engelbert Mveng, des auteurs africains qui ont, chacun à leur époque, suggéré à la conscience universelle les voies d'une nouvelle écriture de la diversité humaine.

Mamadou Ablaye N'DIAYE, Alpha Amadou SY (Sénégal)
L'Afrique face au défi de la modernité. La quête d'identité et la mondialité
Dakar-Fann, Éditions Panafrika/Silex/Nouvelles du Sud, 2006, 288 p.
ISBN : 978-2-912724-35-X
20 €

Les deux auteurs, philosophes de formation, s'interrogent sur les défis que posent la modernité à l'Afrique. Ils engagent une discussion passionnante conviant aussi bien L. S. Senghor que Fukuyama ou Huntington…

Iba NDIAYE Diadji (Sénégal)
La critique d'art en Afrique. Repères historiques pour lire l'art africain. (Éd. par Abdou Sylla)
Paris, L'Harmattan, 2007, 126 p. (coll. « les Arts d'ailleurs »).
ISBN : 978-2-296-02781-7
12,20 €

Des éclairages sur l'âge de la critique en Afrique permettent d'abord l'étude de ce concept et d'une pratique très riches en signifiés. Ensuite, l'auteur aborde l'examen critique des sentiers empruntés pour lire l'œuvre d'art africain. Cet examen mesure la pertinence d'une pratique, ses capacités d'adaptation ou de rejet de tout ce qui n'est pas elle.

Jean-François OBIANG (Gabon)
France-Gabon. Pratiques clientélaires et logiques d'État dans les relations franco-africaines
Paris, Éditions Karthala, 2007 (coll. « Les Afriques »), 392 p.
ISBN : 978-2-84586-819-9
29 €

Version remaniée d'une thèse de doctorat, sur les relations entre la France et le Gabon de 1960 à 1990, l'auteur analyse les pratiques officieuses dans le cadre de la coopération économique, démontre qu'elles sont plus marquées par le clientélisme que par le néocolonialisme et établit une hiérarchie des différents acteurs de la coopération franco-gabonaise.

***POLITIQUE AFRICAINE*, n° 105, mars 2007**
Coordonné par Richard Banégas, Roland Marchal, Julien Meimon.
France-Afrique. Sortir du pacte colonial.
Paris, Éditions Karthala, 2007, 278 p.
ISBN : 978-2-84586-880-9
19 €

Les nouvelles générations africaines rejettent de plus en plus ouvertement la politique africaine de la France, mise en cause depuis longtemps pour ses relents néocoloniaux et son conservatisme. Ces articles font le bilan de la politique africaine de Jacques Chirac dans le contexte des relations Europe-Afrique avec notamment des collaborations de Philippe Hugon, Vincent Hugueux, Patrice Yengo, Laurent d'Ersu, Kako Nubukpo...

***Revue africaine*. Philosophie/Art, Littérature/Linguistique, Sociologie/ Économie. N° 1**
Coordonné par Mamoussé Diagne, Romuald Fonkoua et Olivier Baumais.
Paris, L'Harmattan, 2006, 144 p.
ISBN : 978-2-296-02682-7
12,50 €

Revue semestrielle qui entend prmouvoir la pensée africaine dans les différents domaines de la philosophie, de l'art, de la littérature, de la sociologie et de l'économie. Dans ce premier numéro, notamment : Droit naturel et modernité (D. Dieng) ; Les défis de la graphie arabe en Afrique de l'Ouest (M. Cissé) ; Dakar et la cyberjeunesse (E. Fossey).

Baron ROGER (Présentation de Kusum AGGARWAL)
Kélédor, histoire africaine
Paris, L'Harmattan, 2007, 172 p. (coll. « Autrement mêmes »)
ISBN : 978-2-296-02900-2
18 €

Publié en 1828, cet ouvrage décrit les heurs et malheurs d'un jeune Africain assujetti aux affres du commerce triangulaire, mais qui échappe à l'esclavage à Saint-Domingue, rallie l'armée de Toussaint Louverture et parvient à rentrer au Sénégal. Unique roman du premier gouverneur civil de la colonie du Sénégal, il éclaire le lecteur sur les relations franco-africaines sous la Restauration.

Jean SOB (Cameroun)
L'impératif romanesque de Boubacar Boris Diop.
Ivry-sur-Seine, éditions A3, 2007, 256 p.
ISBN : 978-2-844361-30-1
16 €

Cet ouvrage critique montre comment Boubacar Boris Diop a cherché à amener la littérature africaine vers une position avant-gardiste qui lui permettrait d'avoir sa place dans la république mondiale des lettres tout en gardant sa spécificité.

Gervais Mendo ZE (Éd.) (Cameroun)
Ecce Homo. Ferdinand Léopold Oyono
Paris, Karthala, 2007, 655 p.
ISBN : 978-2-84586-829-8
35 €

Contributions d'universitaires et de hauts fonctionnaires camerounais sur l'écrivain et diplomate Ferdinand Oyono et sur le regard qu'il porte sur la colonisation, les relations entre Blancs et Noirs et les cultures africaines et occidentales, son action politique...

Divers

Moussa BOLLY
Et si on parlait un peu d'Ali (b.)
Paris, Cauris éditions, 2007, 104 p.
ISBN : 2-914605-26-7
17 €/8000 FCFA

L'ouvrage rassemble les différents hommages rendus à Ali Farka Touré, célèbre musicien malien décédé en mars 2006. Ses proches et des anonymes témoignent de la dimension universelle de l'artiste.

Philippe GUIONIE (Photographies), Gaston KELMAN (Textes)
Anciens combattants africains
Portet-sur-Garonnne, Éditions Imaginayres, 2006
ISBN : 978-2-914416-26-1
28 €

Cet ouvrage présente des photos de combattants africains encore vivants aujourd'hui. Il est accompagné d'un CD dans lequel des entretiens sont réalisés avec les personnes photographiées.

Gabriel MASSA
Cheval et cavalier dans l'art d'Afrique noire
Saint-Maur-des-Fossés, Éditions Sépia, 2007, 168 p.
ISBN : 978-2-84280-123-6
40 €

Ce catalogue présente des pièces issues de collections privées jamais ou rarement exposées, sélectionnées pour leur originalité, leurs qualités esthétiques, leur ancienneté et la charge culturelle qu'elles représentent. Il est organisé autour de deux pôles géographiques : Sahel (Dogon, Bamana, Mossi, Kotoko) et zone côtière (présentation ethnique ou formelle).

Caraïbes

Textes littéraires

Maryse CONDÉ (Guadeloupe)
Comme deux frères (th.)
Carnières-Morlanwelz (Belgique), Lansman, 2007, 36 p
(coll. « Beaumarchais »).
ISBN : 978-2-87282-584-4
8 €

Deux amis d'enfance se retrouvent en prison. La veille du procès, ils ont peu d'espoir de parvenir à convaincre les juges, mais souhaitent faire valoir des circonstances atténuantes. Reste à savoir si leur amitié va résister à cette épreuve car la tentation de se décharger sur l'autre est grande.

Alain FOIX (Guadeloupe)
Toussaint Louverture (b.)
Paris, Éditions Gallimard, 2007, 336 p. (coll. « Folio biographies »)
ISBN : 978-2-07-034096-5
7,70 €

La vie de cet esclave affranchi, né sur l'île de Saint-Domingue en 1743, qui fit fortune grâce à la culture de café avant de prendre la tête de l'insurrection contre la tutelle française en 1789. Il est nommé général en chef puis prend le titre de gouverneur général à vie, après avoir décrété la liberté de la colonie. Arrêté sur ordre de Bonaparte, il est déporté au fort de Joux, où il meurt en 1803.

Elvire MAUROUARD (Haïti)
Jusqu'au bout du vertige (p.)
Paris, Éditions du Cygne, 2007, 66 p (coll. « Poésie francophone/Haïti »)
ISBN : 978-2-84924-027-4
10 €

Ce recueil de poésie déclame une symphonie secrète célébrant la grâce de chaque instant et l'éblouissement de l'amour.

Gisèle PINEAU (Guadeloupe)
Mes quatre femmes (r.)
Paris, Éditions Philippe Rey, 2007, 192 p.
ISBN : 978-2-84876-079-7
17 €

L'histoire de quatre femmes, de quatre époques. Angélique, l'ancêtre esclave qui connut les temps perturbés de l'abolition puis du rétablissement de l'esclavage. Julia, la grand-mère, profondément attachée à la Guadeloupe mais contrainte à l'exil pour fuir son mari violent. Gisèle, la grand-tante qui mourut de chagrin à la mort de son jeune époux. Et Daisy, la mère qui rêva sa vie dans les romans d'amour.

Élie STEPHENSON (Guyanne)
Ismée ou les oiseaux de lumière (p.)
Ivry-sur-Seine, Éditions A3, 2006, 216 p.
ISBN : 978-2-84436-038-6
8 €

Ici, le poète exploite des thèmes romantiques en quelque sorte une presque célébration de la parole poétique. Il réfléchit à l'usure des mots qui doivent pourtant donner force à son message pour lui permettre d'aller de l'avant.

Études

Centre de recherche textes et francophonies, Civilisations et identités culturelles comparées
Présences haïtiennes
Cergy-Pontoise, Université de Cergy-Pontoise, 2006, 458 p.
ISBN : 978-2-910687-21-X
35 €

Faisant suite à un colloque, ce recueil de contributions constitue une approche des réalités d'Haïti en langue, littérature, histoire et civilisation. Ces réflexions sont organisées en trois grands thèmes qui proposent des analyses de textes littéraires haïtiens : d'Haïti et d'autres îles, deux siècles d'histoire ; les représentations d'Haïti ; Encrages et territoires.

Divers

Jean-Marie Théodard (Texte) , Céline Anaya GAUTIER (Photos)
Esclaves au paradis
La Roque-d'Anthéron, Vents d'ailleurs, 2007, 160 p.
ISBN : 978-2-911412-45-5
35 €

Prises en République dominicaine, les photos montrent la vie des coupeurs de canne haïtiens. On voit ainsi les conditions extrêmes dans lesquelles ils vivent ; parfois dans un état de malnutrition avancé. Ils sont payés avec des coupons d'alimentation et vivent quasiment comme des esclaves. Ce projet est soutenu par Amnesty international.

Freddy RIVAL
Aimé Césaire. Images.
Paris, Présence africaine, 2006, 36 p.

Ce livre présente des tableaux qui sont à chaque fois accompagnés d'extraits de poèmes d'Aimé Césaire.

Maghreb

Textes littéraires

Tahar BEKRI (Tunisie)
Le livre du souvenir (r.)
Tunis, Éditions Elyzad/Éditions Clairefontaine, 2007
ISBN : 978-9973-58-006-1
11 DT/15 €

Paris, Copenhague, Kairouan, Montréal. À la faveur de son exil, de ses voyages, l'auteur prend des notes. Il parle de mémoire, de la fuite du temps, de la nostalgie de son pays natal. Il apporte une réflexion sur la littérature et l'art et réagit aux évènements dans le monde.

Tahar BEN JELLOUN (Maroc)
Les pierres du temps et autres poèmes (p.)
Paris, Éditions du Seuil, 2007 (1ère éd. 1995), 144 p.
(coll. « Points »)
ISBN : 978-2-7578-0225-0
6 €

Ce volume, qui vient d'être édité en poche, réunit les poèmes les plus récents du poète marocain.

Mohammed DIB (Algérie)
Œuvres complètes de Mohammed Dib I. Poésies, préface de Habib Tengour (p.)
Paris, Éditions de La Différence, 2007, 576 p.
ISBN : 978-2-7291-1676-7
30 €

Édition des œuvres poétiques complètes de l'écrivain algérien, qui regroupe tous les ouvrages publiés de son vivant ainsi que deux recueils inédits. Sa poésie est fortement marquée par l'histoire de l'Algérie.

Mohammed DIB (Algérie)
Qui se souvient de la mer (r.)
Paris, Éditions de La Différence, 2007 (1ère éd. 1962 au Seuil), 224 p. (coll. « Minos »)
ISBN : 978-2-7291-1677-4
8 €

Dans une grande ville soumise à des forces imprévisibles et démoniaques, des hommes patients, hébétés, aux visages de pierre, au milieu des explosions, continuent à vivre, s'enfonçant de plus en plus dans la terre pour y retrouver une racine ou un sommeil. Il n'y a plus de loi ni d'interdit. Tout peut arriver. Le héros le sait, averti par le visage mouvant et bénéfique de sa femme Nafissa.

Bachir HADAJDJ (Algérie) (Préface de Jean Lacouture)
Les voleurs de rêve. Cent cinquante ans d'histoire d'une famille algérienne (r.)
Paris, Éditions Albin Michel, 2007, 464 p.
ISBN : 978-2-265-04079-7
22 €

Dernier voleur de rêves en liberté, Dan Tiger a fui dans un agricentre où la sorcière Esmeralda entreprend de lui enseigner l'art du rêve.

Mohammed HMOUDANE (Maroc)
Parole prise, parole donnée (p.)
Paris, Éditions de la différence, 2007 (coll. « Clepsydre »)
ISBN : 978-2-7291-1675-3
14 €

Recueil de poèmes dont le thème est le corps et l'amour.

Leïla MAROUANE (Algérie)
La jeune fille et la mère (r.)
Paris, Éditions du Seuil, 2005, 192 p.
ISBN : 978-2-7578-0261-8
5,50 €

Nous signalons la sortie en poche du livre de Leïla Marouane, *La jeune fille et sa mère* dans la collection Points.

Hakim MARZOUGUI (Tunisie)
Isamail-Hamlet ou La vengeance du laveur de cadavre (th.)
Carnières-Morlanwelz (Belgique), Lansman, 2006, 36 p.
ISBN : 978-2-87282-577-6
7 €

Ismail est laveur de cadavres. Il doit s'occuper d'Abou Saïd, son oncle, et l'homme qui a épousé celle qu'il aimait. Dans ce monologue, Isamil évoque son enfance, marquée par Abou Saïd.

Leïla SEBBAR (Textes inédits recueillis par) (Algérie)
C'était leur France. En Algérie avant l'indépendance
Paris, Gallimard, 2007, 336 p.
ISBN : 978-2-07-078169-0
21 €

Vingt-cinq écrivains nés en Algérie, de culture musulmane, chrétienne, juive ou laïque, vivant pour la plupart en France, racontent l'Algérie de leur enfance et leur relation à ces deux pays. Les auteurs sont notamment Maïssa Bey, Aziz Chouaki, Mohamed Kacimi, Anne-Marie Langlois, Boualem Sansal, Benjamin Stora, Bernard Zimmerman…

Leïla SEBBAR (Algérie)
Le ravin de la femme sauvage (n.)
Paris, Éditions Thierry Magnier, 2007, 96 p.
ISBN : 978-2-84420-542-1
14 €

Neuf nouvelles mettant en scène, à travers le monde, depuis les années 1950, les tourments d'exilés et de victimes de guerres civiles, de la colonisation ou de la décolonisation.

Leïla SEBBAR (Algérie)
Le vagabond (n.)
Saint-Pourçain-sur-Sioule, Éditions Bleu autour, 2007, 18 p.
ISBN : 978-2-912019-65-3
1 €

Un enfant né en Indochine d'une mère brodeuse à Saigon, part à l'âge de 20 ans sur les hauts plateaux de l'Algérie, à la recherche de son père, tirailleur algérien.

Amin ZAOUI (Algérie)
Festin de mensonges (r.)
Paris, Fayard, 2007, 216 p.
ISBN : 978-2-213-63255-1
16 €

Né gaucher, Koussaïla est considéré comme une souillure par sa famille, dont l'arbre généalogique remonte au Prophète. De plus, il n'est attiré que par les femmes mûres. Dans la ville où il est envoyé, il découvre un monde beaucoup moins confiné que son village. Il prend conscience de ses goûts singuliers et répréhensibles aux yeux des Frères musulmans venus après l'indépendance de l'Algérie.

Études

Beïda CHIKHI
Assia Djebar. Histoires et fantaisies
Paris, PUPS, 2007, 200 p. (coll. « Lettres francophones »)
ISBN : 978-2-84050-506-8
20 €

Étude de l'œuvre d'Assia Djebar, qui vient d'entrer à l'Académie française. Malgré les sombres années, les expatriations, son lien avec son pays, l'Algérie, reste indéfectible. L'ouvrage met en avant l'esthétisme, la sensibilité et la fantaisie de ses écrits.

Présence francophone.
Revue internationale de langue et de littérature, n° 68
Actualité de Rachid Boudjedra
Worcester (Etats-Unis), College of the Holy Cross, 2007, 216 p.

Ce numéro est consacré à Rachid Boudjedra.

Océan Indien

Textes littéraires

René RADAODY-RALAROSY (Madagascar)
Zovy. 1947. Au cœur de l'insurrection malgache (Préface de Dominique Ranaivoson) (r.)
Saint-Maur-des-Fossés/Antananarivo (Madagascar), Éditions Sépia/Éditions Tsipika, 2007, 224 p.
ISBN : 978-2-84280-121-2
7 €

René Radaody-Ralarosy revient, dans cette fiction, sur les douloureux événements qui ont déchiré l'île en 1947 et ont suscité de vifs débats aussi bien en France que sur l'île.

Jean-Luc RAHARIMANANA (Madagascar)
Madagascar, 1947
(Photos du fonds Charles Ravoajanahary)
La Roque-d'Anthéron, Vents d'ailleurs, 2007, 64 p.
ISBN : 978-2-911412-49-3
6 €

L'auteur retrace l'insurrection malgache de 1947 contre la colonisation française. Il s'interroge sur les rapports entre colonisateurs et colonisés, entre pouvoir actuel et passé. Ce document est illustré de photos appartenant au fonds de Charles Ravoajanahary, grande figure de l'indépendance malgache.

Études

Nivoelisoa GALIBERT (Textes établis, introduits et annotés par) (Madagascar)
À l'angle de la grande maison. Les lazaristes de Magagascar : correspondance avec Vincent de Paul (1648-1661)
Paris, PUPS, 2007, 544 p. (coll. « Imago Mundi »)
ISBN : 978-2-84050-503-7
36 €

Présentation des écrits des Lazaristes du Fort Dauphin, installés à Madagascar, auteurs d'une correspondance au futur saint Vincent de Paul, où sont déjà posés des jalons de la problématique moderne du contact des cultures.

POINT BARRE (Île Maurice). Revue de poésie contemporaine, n° 2
À fleur de peau (p.)
Port-Louis (Maurice), Cygnature publicatons, 2007, 36 p.

Cette revue, dont le deuxième numéro vient de paraître, est consacrée à la poésie mauricienne. On peut notamment y retrouver un texte d'Ananda Devi.

Revue de littérature comparée
Les littératures indiaocéaniques
Paris, Didier Érudition/Klincksieck, 2006, 256 p.
ISBN : 978-2-252-03555-9
16 €

Au sommaire notamment : Surnaturel et littérature dans l'océan Indien : à propos d'un conte malgache (B. Terramorsi) ; Michèle Rakotoson et Jean-Luc Raharimanana : Dire l'île natale par le ressassement (M. Nirina Marson) ; Le champ littéraire mauricien (V. Ramharai).

Et aussi...

Textes littéraires

Sait Faik ABASIYANIK (Turquie)
Une histoire pour deux (n.)
Saint-Pourçain-sur-Sioule, Éditions Bleu autour, 2007, 18 p.
ISBN : 978-2-912019-64-6
1 €

Au large d'Istanbul, un pêcheur solitaire et une mouette boiteuse dialoguent. Nouvelle tirée du recueil *Un serpent à Alemdag*.

Sait Faik ABASIYANIK (Turquie)
Un homme inutile (n.)
Saint-Pourçain-sur-Sioule, Éditions Bleu autour, 2007, 160 p.
ISBN : 978-2-912019-56-1
14 €

Un voyage au cœur d'Istanbul. Ses quartiers, ses rues, où cohabitent pêle-mêle Turcs, Juifs, Levantins, petits commerçants et humbles artisans, porteurs et épiciers, prostituées et joueurs de saz.

Antonia BUENO
Zahra, favorita de Al-Andalus. Zahra, favorite d'Al-Andalus.
Toulouse, Presse universitaires du Mirail, 2007, 224 p.
(coll. « Nouvelles scènes- hispaniques »)
ISBN : 978-2-85816-899-6
20 €

Deux femmes et un prénom : Zahra. L'une est favorite du calife de Cordoue, Abd al-Rahman III, l'autre est une candidate maghrébine à l'émigration, tentant de gagner l'Espagne sur une embarcation de fortune. La première est chrétienne, captive de la prison dorée du harem, la seconde est musulmane, otage des traditions morales qui pèsent sur sa vie de femme.

Marie NDIAYE
En famille (r.)
Paris, Éditions de Minuit, 2007 (1ère éd. 1990), 320 p.
(coll. « Double »)
ISBN : 978-2-7073-2002-5
7,90 €

Fanny est rejetée par sa famille. Elle se demande si elle a commis des fautes, ce qu'on reproche à ses 20 ans, si elle se nomme réellement Fanny, si elle n'a pas été adoptée...Le roman de Marie Ndiaye est réédité en poche.

Rosie PINHAS-DELPUECH (Turquie)
Anna. Une histoire française (r.)
Saint-Pourçain-sur-Sioule, Éditions Bleu autour, 2007, 200 p.
ISBN : 978-2-912019-60-8
15 €

De l'Espagne de l'inquisition au Paris des années noires, via les vestiges juifs d'Andrinople, Rosie Pinhas-Delpuech enquête sur une figure énigmatique de son enfance, Anna, dont le destin a pesé sur le sien. Un détour nécessaire pour inscrire sa part d'étrangère dans la langue qu'elle habite, le français.

Ahmed RASSIM (Égypte)
Le journal d'un pauvre fonctionnaire et autres textes
Préface d'Andrée Chedid
Paris, Éditions Denoël, 2007, 576 p (coll. « Roman français »)
ISBN : 978-2-207-25904-7
25 €

Écrivain égyptien d'expression française, Ahmed Rassim (1895-1958) ne publia jamais en France. Créateur plurilingue et pluriculturel, écrivain populaire, musulman oriental, averti des avant-gardes européennes, il est considéré comme le pionnier de la littérature francophone de l'autre rive de la Méditerranée.

Recueil collectif francophone
À vos plumes les poètes (p.)
Vanves, Édition du bout de la rue, 2007, 182 p.
ISBN : 978-2-916620-02-2
12 €

Ce florilège regroupe des poètes de l'Hexagone mais aussi des francophones québécois, albanais, flamands, kabyles, africains et wallons.

Amre SAWAH (Syrie)
Secret de famille (th.)
Carnières-Morlanwelz (Belgique), Lansman, 2006, 36 p.
ISBN : 978-2-87282-576-9
7 €

Un père a été donné et est mort en prison. Son dernier fils cherche à savoir et interroge sa mère. Mais celle-ci est prête à tout pour le garder près d'elle, l'empêcher d'entrer dans le même jeu que son père et ses frères, de se retrouver en prison ou enfoui sous terre.

Études

Centre de recherche textes et francophonies
Convergences francophones
Cergy-Pontoise, Université de Cergy-Pontoise, 2006, 184 p.
ISBN : 978-2-910687-20-1
18 €

Contributions à l'enseignement des langues et des littératures francophones, étudiant l'historique de l'implantation de cette discipline dans l'université, et la manière dont est envisagée la transmission des francophonies littéraires. Ce numéro a pour finalité de nourrir la perspective comparatiste et la réflexion collective.

ELELE
Turcs en France. Album de famille.
Saint-Pourçain-sur-Sioule, Éditions Bleu autour, 2006, 206 p.
ISBN : 978-2-912019-58-5
24 €

Portrait de treize familles turques installées en France à travers photographies et témoignages. Au sein de chacune de ces familles, une figure centrale permet de déterminer les raisons de l'émigration et les conditions d'intégration en France.

Martine FERNANDES
Les écrivaines francophones en liberté : Farida Belghoul, Maryse Condé, Assia Djebar, Calixthe Beyala
Paris, L'Harmattan, 2007, 296 p. (coll. « Critiques littéraires »)
ISBN : 978-2-296-02837-1
26 €

L'analyse stylistique de romans de ces quatre auteures permet de montrer que la linguistique cognitive met en lumière les techniques d'écriture des écrivaines francophones pour représenter des identités hybrides postcoloniales. Ces textes dénoncent la survivance de mythes identitaires dans la société postcoloniale et les structures cognitives qui emprisonnent le sujet féminin.

FRANCOFONIA
N°51 – Autunno 2006
Florence, Olschki editore, 2007, 176 p.
ISSN : 1121-953X
40 €

Au sommaire notamment, un article sur Jorge Luis Borges et Assia Djebar et un entretien avec Patrick Chamoiseau...

Raphaële GARRETA
Des simples à l'essentiel
Toulouse, Presses universitaires du Mirail, 2007, 268 p.
(coll. « Les Anthropologiques »)
ISBN : 978-2-85816-886-6
27 €

Cet ouvrage est une analyse sociologique des pratiques et des représentations de la plante, mises en œuvre par les professionnels de la chaîne de l'herboristerie : cueilleurs, herboristes et aromathérapeutes. Il montre la similitude de leurs univers mentaux, la continuité de valeurs symboliques et le contexte idéologique de purification physique et spirituelle relatif à l'utilisation des plantes médicinales.

INTERCULTUREL. N°11
Lecce, Alliance française, 2007
14 €

Ce numéro de la revue de l'alliance française s'intéresse à la didactique, à la littérature (avec un dossier qui s'interroge sur la notion d'individu dans les sociétés africaines) et à la linguistique. Avec notamment des articles de C. Diop, M. Tamba, A. Owono-Kouma...

Abel KOUVOUAMA, Abdoulaye GUEYE, Anne PIRIOU, Anne-Catherine WAGNER (Sous la dir. de)
Figures croisées d'intellectuels.
Trajectoires, modes d'action, productions
Paris, Éditions Karthala, 2007, 482 p (coll. « Hommes et sociétés »)
ISBN : 978-2-84586-866-3
29 €

Contributions sur les milieux intellectuels à l'heure de la mondialisation, notamment en Afrique. Les auteurs proposent des études comparatives sur les intellectuels de pays liés par un passé colonial ou par des relations politiques, économiques ou culturelles, des analyses sur la place des intellectuels dans la société, leurs relations avec les différentes formes de pouvoir, etc.

Pierre LAROUSSE (Préface de Françoise VERGÈS)
Nègre. Négrier. Traites des nègres. Trois articles du Grand dictionnaire universel du XIX4 siècle de Pierre Larousse
ISBN : 978-2-912019-61-5
Saint-Pourçain-sur-Sioule, Éditions Bleu autour, 2007, 120 p.
12 €

Republier ces articles d'un héritier des Lumières permet d'exhumer un racisme brut qui perdure de nos jours. La préface de Françoise Vergès permet d'éclairer en quoi le « blanc » opère comme un ligne de partage qui ne se dit pas.

Claude LIAUZU (dir.)
Dictionnaire de la colonisation française
Paris, Éditions Laroussse, 2007, 648 p. (coll. « à présent »)
ISBN : 978-2-03-583343-3
28 €

Après une présentation globale de la colonisation française (le bilan, la spécificité, les sociétés post-coloniales, la mémoire) et des temps forts de l'histoire coloniale depuis le premier empire français du XVIe siècle jusqu'à la décolonisation, suit une partie dictionnaire de près de 800 entrées (de synthèse, d'approfondissement et d'entrées zoom sur des sujets précis).

Michel NAEPELS, Christine SALOMON (Sous la dir. de)
Terrains et destins de Maurice Leenhardt
Paris, Éditions de l'École des hautes études en science sociale, 2007, 168 p.
ISBN : 978-2-7132-2115-6
16 €

Étude de la production du savoir ethnographique, de la relation entre colonisation, mission et problématisation anthropologique ainsi que sur le christianisme océanien à travers le portrait de Maurice Leenhardt (1878-1954), missionnaire et ethnologue de la Nouvelle-Calédonie.

Jean-Baptiste ONANA
Sois nègre et tais-toi !
Nantes, Éditions du Temps, 2007, 256 p.
ISBN : 978-2-84274-391-8
14,90 €

Cette étude s'intéresse à la place des Noirs dans la société française contemporaine. L'auteur dénonce la mise au ban de la société de toute une population et en établit les responsabilités, qu'elles soient le fait des Noirs eux-mêmes ou des forces qui œuvrent pour le *statu quo*, autant par peur fantasmée d'un colonisation noire à rebours que pour s'accrocher à des privilèges d'un autre temps.

Natalie ZEMON DAVIS
Léon l'Africain. Un voyageur entre deux mondes. (b.)
Paris, Éditions Payot, 2007, 480 p. (coll. « Biographie »)
ISBN : 978-2-228-90175-8
25 €

Né à Grenade à la fin du XVe siècle, élevé au Maroc après avoir été chassé d'Espagne par la Reconquista, Hassan al-Wazzân voyagea en Afrique comme ambassadeur du sultan de Fès. Capturé par des pirates chrétiens en 1518, il fut libéré par le pape Léon X en échange de sa conversion au christianisme. Devenu Léon l'Africain, il écrivit des traités de géographie et enseigna l'arabe en Italie...

Divers

Bernard LEGENDRE
Les métiers de l'édition
Paris, Éditions du Cercle de la Librairie, 2007, 494 p.
ISBN : 978-2-7654-0948-9
40 €

Cet ouvrage permet de percevoir la diversité de la production éditoriale et rend compte de la complémentarité des métiers et des compétences qui prennent part à la vie du livre : les pratiques rédactionnelles, le traitement de l'image, les techniques de fabrication en évolution rapide, les méthodes commerciales, la distribution, les échanges de droits, etc.

Raphaële MOUREN (dir.)
Manuel du patrimoine en bibliothèque
Paris, Éditions du Cercle de la Librairie, 2007, 416 p.
(coll. « Bibliothèques »)
ISBN : 978-2-7654-0949-6
40 €

La constitution et la conservation des fonds patrimoniaux (collections thématiques, fonds locaux, archives...) nécessitent la maîtrise de techniques variées et une réflexion constante. Savoir choisir, faire connaître et faire comprendre, identifier les actions à mener, résoudre les problèmes matériels, sensibiliser les tutelles, autant de questions traitées en profondeur dans ce guide.

CULTURESFRANCE agit pour la promotion des auteurs, des artistes et des entrepreneurs culturels du continent africain dans le cadre du programme « Afrique en créations ».

Celui-ci a permis d'accompagner la découverte d'une nouvelle génération d'auteurs dramatiques présentés, notamment, lors de la manifestation « Écritures d'Afrique », dont deux éditions se sont déroulées en partenariat avec le théâtre du Vieux-Colombier et la Comédie-Française.
En 2007, à l'issue de la deuxième édition de cette manifestation et à l'occasion du cycle de lecture « Jeunes auteurs en Afrique » initié par le Festival d'Avignon, CULTURESFRANCE a souhaité réunir ces textes et les éditer pour en faciliter la circulation et la promotion en les rendant accessibles à tous.

Cet ouvrage réunit dix textes, de huit auteurs, qui comptent parmi les plumes actives et inventives du théâtre en Afrique.

CULTURESFRANCE éditions
10 euros
224p.
isbn 978-2-35476-009-0

CULTURESFRANCE
1 bis, avenue de Villars, 75007 Paris
www.culturesfrance.com
comm@culturesfrance.com

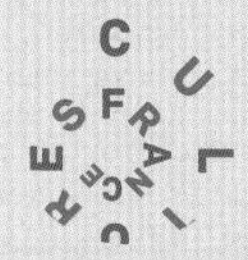

diffusion et distribution :
La Documentation Française
124, rue Henri-Barbusse
93308 Aubervilliers Cedex

Télécopie :
Paris 01 40 15 67 83
Aubervilliers 01 40 15 68 00
Lyon 04 78 63 32 24

Brèves

© Présence Africaine

Sembene Ousmane

Livre & écrit

Le grand cinéaste et écrivain sénégalais Sembene Ousmane s'est éteint le 9 juin dernier à Yoff (Dakar). Né à Ziguinchor (Casamance) en 1923, Sembene a été enrôlé par l'armée française durant la Seconde Guerre mondiale, puis a vécu en France et au Sénégal. Exerçant de multiples petits boulots dont celui de docker, il commence à écrire dans les années cinquante, et commettra un premier roman intitulé *Le Docker noir* (1956). S'ensuivent d'autres publications, puis un retour en Afrique, continent qu'il se met à sillonner. Il veut donner une autre image réaliste du continent et se tourne tout naturellement vers le cinéma. À Moscou, dans l'école de cinéma la plus fameuse de l'Est, il apprend la réalisation. Son premier long-métrage, qui est également le premier long-métrage de l'histoire du cinéma africain, *La Noire de...*, le fera connaître à l'étranger. Crise postcoloniale, corruption, croyances tribales, animisme, choc des religions, statut de la femme, pratique de l'excision : depuis *La Noire de...* (1966) jusqu'à *Moolade* (2004) en passant par *Le Mandat* (1968), le cinéaste n'a eu de cesse d'être de tous les combats. Ses films sont autant de fables couronnées d'une morale, mais toujours sur le mode de l'humour conjugué à un certain réalisme social. Dans un témoignage publié dans la revue il y a quelques années, Sembene exprimait sa conception du cinéma africain en ces termes : *« Les cinémas d'Afrique noire sont les fils aînés de la littérature anticolonialiste. C'est même une « école du soir. » Malgré le lourd handicap qui la frappe, son existence est héroïque. L'absence de laboratoires ne doit pas décourager les velléités créatives de la jeunesse. Le cinéma est plus vrai que la littérature dite francophone. Les comédiens parlent leur langue natale. [...] En ce début de troisième millénaire, la nouvelle génération africaine s'approprie son histoire et s'affirme « libre ». Le combat entre nous (Africains) et le combat contre les donneurs de leçon seront plus difficiles, plus durs que toutes les luttes passées. « Mag soko jiisul ci lu ndèm mu jiis boopam » (« Si tu n'aperçois pas l'ancien dans les ténèbres, lui, il se voit et te voit »). »* (*Cultures Sud* n°4 149, « Cinémas d'Afrique », décembre 2002).

Bibliographie sélective :
Parus aux éditions Présence africaine :
Le Docker noir, 1956
Ô pays, mon beau peuple, 1957
Les Bouts de bois de Dieu, 1960
Voltaïque, 1962
L'Harmattan, 1964
Le Mandat, 1965
Vehi Ciosane, 1969
Xala, 1974
L'Harmattan, 1980
Niiwam, suivi de *Taaw,* 1987

Le Dernier de l'Empire : roman sénégalais,
Paris, L'Harmattan, 1981

Filmographie :
Borom Sarret, court-métrage, 1963
L'Empire songhay, court-métrage documentaire, 1963
Niaye, 1964
La Noire de..., 1966
Le Mandat (Mandabi), 1968
Taaw, court-métrage, 1970
Emitaï (Dieu du tonnerre), 1971
Xala, 1974
Ceddo, 1976
Camp de Thiaroye, 1987
Guelwaar, 1992
Faat Kiné, 2000
Mooladé, 2004

Claude Liauzu

Livre & écrit

L'historien Claude Liauzu, spécialiste de la colonisation et des relations Nord-Sud, est décédé le 23 mai à Paris à l'âge de 67 ans. Né à Casablanca, Claude Liauzu a enseigné dans les années 1970 comme coopérant à l'université de Tunis. Auteur de nombreux ouvrages, il était professeur émérite d'histoire contemporaine à l'université Paris-VII. Très présent dans le débat sur le colonialisme et le passé colonial de la France, Claude Liauzu a notamment publié ces dernières années *Empire du mal contre Grand Satan, Treize siècles de culture de guerre entre l'Islam et l'Occident* (2005) et *Tensions méditerranéennes* (2003). Il avait coordonné récemment les travaux de quelques soixante-dix auteurs pour un *Dictionnaire de la colonisation française*, paru en avril chez Larousse. Cet ouvrage a près de 800 entrées et retrace l'histoire de la colonisation du premier empire français au XVIe siècle à la décolonisation. Claude Liauzu avait également rédigé la préface de cet ouvrage.

Ouverture d'une résidence d'écrivain à Ouessant

Livre & écrit

La première résidence d'écrivain du Finistère ouvre ses portes sur l'île d'Ouessant. L'association Cultures, Arts et Lettres des îles est à l'initiative de ce projet, en étroit lien avec le Salon international du livre insulaire dont la neuvième édition se déroulera sur l'île du 22 au 26 août 2007. En 2004, pour la sixième édition, Haïti avait été mis à l'honneur. Les écrivains sont accueillis dans l'ancien sémaphore du phare du Créarc'h. L'association ayant pour but de promouvoir la culture insulaire, les écrivains doivent être issue de cette culture ou avoir des écrits se rapportant à ce thème, ils doivent également voir été publié au moins une fois et être éligibles aux bourses du Centre national du livre. Initialement ouverte aux auteurs d'œuvres de fiction et de poésie (romans, nouvelles, contes...), la résidence est susceptible d'accueillir les auteurs d'essais, de beaux-livres, de théâtres, de bandes dessinées ou d'ouvrages scientifiques. Un examen sera réalisé au cas par cas par un comité de sélection des principaux acteurs culturels du département.

Contacts : Tél : 06 81 51 12 87
salon@livre-insulaire.fr
www.livre-insulaire.fr
Association Cultures, Arts et Lettres des îles (CALI)
Village de Toulalan BP 10
29242 Ouessant

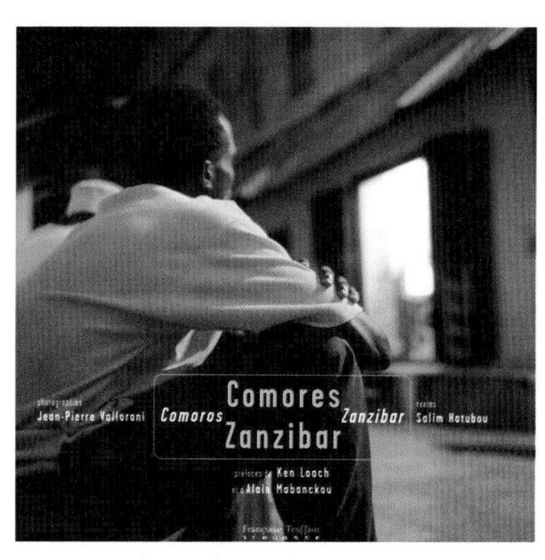

Comores Zanzibar

Livre & écrit

Un livre de photos de Zanzibars et des Comores sortira en septembre chez Françoise Truffaut éditions. Jean-Pierre Vallorani, le photographe avait travaillé avec Ken Loach en 1994 sur le film *Ladybird*. Ce livre est également un livre de poésies écrites par Salim Hatubou. Ces poèmes de l'exil disent la vie des Comoriens entre Zanzibar et Marseille, entre leurs îles natales et l'ailleurs, où ils vivent souvent habités de celles-ci. Photos et poèmes s'entrecroisent, pour donner à voir les Comores et Zanzibar, dans ce qui lie les Comoriens à l'insularité et à l'exil. Ce qui parfois ne peut se dire explicitement peut se résumer dans la sensibilité d'un poème de Salim Hatubou : « *Va, mon enfant/prends-les par la main/et dis-leur que nos larmes/fortifient nos racines./Nous resterons toujours debout/au milieu de nos douleurs/et de nos humiliations.* »

Chinua Achebe récompensé par le Man Booker International Prize

Livre & écrit

Le 13 juin, l'écrivain Chinua Achebe a été récompensé par le Man Booker International Prize 2007 pour l'ensemble de son œuvre. Dans la continuité du Booker Prize, qui est l'un des prix littéraires les plus prestigieux en Grande-Bretagne, le Man Booker International Prize est décerné tous les deux ans à des auteurs masculins ou féminins de toute nationalité dont l'œuvre a été traduite en anglais. Chinua Achebe, 76 ans, qui est resté paralysé des membres inférieurs après un accident de voiture, est professeur de littérature au Bard College de New York et l'auteur de romans comme *Things Fall Apart* (1958) ou *Anthills of the Savannah* (1988). Parmi les quinze écrivains en lice pour ce prix, il y avait notamment Salman Rushdie, Michel Tournier ou Philip Roth...

Connaissances et Savoirs

Livre & écrit

Crées en janvier 2004, les éditions Connaissances et Savoirs sont dédiées à la publication d'ouvrages de sciences humaines et sociales (histoire, littérature, droit, économie...), livres souvent érudits ou de référence dont l'épaisseur peut parfois effrayer d'autres maisons d'éditions.
Cette volonté de promouvoir le savoir laisse sa place à des auteurs originaires d'Afrique ou de sujets ayant trait à ce continent, ainsi sont parus ces dernières années *Pour sauver l'Afrique* (2005) d'Abanda à Djèm, *Mer et écriture* chez Tati Loutard (2006) de Noël Kodia-Ramata ou encore cette année *L'Afrique subsaharienne dans la musique savante occidentale au XX4 siècle* d'Apollinaire Anakesa Kululluka.

Contacts : www.connaissances-savoirs.com/

2007 : Imaginons l'avenir de l'Afrique

Livre & écrit

Le salon africain du livre, de la presse et de la culture s'est tenu à Genève du 2 au 6 mai 2007. Les trois prochaines années auront pour thème « L'Afrique en marche ». Dans ce cadre, « Imaginons l'avenir de l'Afrique » était le thème de cette année. À l'occasion de ce salon, diverses conversations ont été organisées sur des thèmes aussi variés que la littérature, le sida, un continent en guerre... À cette occasion, le prix Ahmadou Kourouma, présidé par Jacques Chevrier, a été décerné à Sami Tchak pour *Le Paradis des Chiots* (Mercure de France, 2006).
De nombreux journalistes, intellectuels et écrivains étaient présents à cette occasion. Il y avait notamment Aminata D. Traoré, Wilfried N'Sondé, Nuruddin Farah, Emmanuel Dongala, Ananda Devi, Venance Konan, Romuald Fonkoua, Bessora, Jean Hatzfeld, Abdourahman A. Waberi...

Contacts : http://www.salondulivre.ch/Fr/Afrique.html

Naissance du Prix musiques de l'océan Indien

Arts de la scène

Culturesfrance s'associe au projet fondé par la Sacem, le FCM (Fonds pour la création musicale), l'organisation internationale de la Francophonie, Musiques France Plus et la Ville de Saint-Denis de la Réunion. Le Prix musiques de l'océan Indien a pour vocation de révéler les artistes des territoires francophones des différents pays de la zone océan Indien (Comores, La Réunion, Madagascar, Maurice, Mayotte, Rodrigues, Seychelles) et de promouvoir les écritures musicales, en aidant les lauréats à faire carrière à l'international et en favorisant la diffusion des œuvres et des artistes lauréats.
Organisé en deux temps, ce prix de création sera décerné tous les deux ans. Pour la première édition, l'année 2007 verra concourir les différents candidats tandis que 2008 sera consacrée au développement de la carrière et à la diffusion des lauréats du prix 2007.
Après une présélection sur dossier, trois candidats seront sélectionnés en vue de la finale qui se tiendra à Saint-Denis de La Réunion en novembre 2007. Le lauréat se verra décerner une bourse destinée à promouvoir sa carrière internationale, une invitation – avec ses musiciens – au Festival Musiques métisses d'Angoulême et aux Francofolies de La Rochelle ainsi qu'une participation à tire individuel aux Rencontres d'Astaffort par Voix du Sud. Les deuxième et troisième prix bénéficieront d'un enregistrement de leur concert *live* dans le cadre de la finale, sous forme d'un CD, ainsi qu'une diffusion sur les ondes de RFO/RFI.
La finale de la première édition aura lieu à Saint Denis de La Réunion ; la finale de la deuxième édition aura lieu à Tananarive en 2009.

http://www.prixmusiquesoceanindien.com
Contact : Valerie.Thfoin@culturesfrance.com

Jeunes auteurs d'Afrique à Avignon

Arts de la scène

Culturesfrance va contribuer à la présence d'auteurs africains à Avignon en organisant, dans le cadre de leur programme « Écritures d'Afrique » des lectures de leurs pièces de théâtre. Ces lectures se dérouleront à onze heures du matin au jardin de la rue de Mons avec au programme : le 11 juillet, *L'Acte de respirer* et *Machin la hernie* de Sony Labou Tansi, le 13 juillet, *Épilogue d'une trottoire* de Alain Kamal Martial (Mzoizia, Mayotte), le 14 juillet, *Les Larmes du ciel d'août* d'Aristide Tarnagda (Ouagadougou), le 15 juillet, *La Folie de Janus* de Sylvie Dyclos-Pomos (Brazzaville), le 16 juillet, *La Fratrie errante* de Marie-Louise Bibish Mumbu (Kinshasa) et le 17 juillet, *My name is* de Dieudonné Niangouna (Brazzaville). Culturesfrance éditera un recueil des pièces de ces auteurs (à l'exception de Sony Labou Tansi) et d'autres (Gustave Akakpo, Kouam Tawa, Martin Ambara) ayant participé à la manifestation « Écritures d'Afrique » qui s'était déroulée en mai dernier au théâtre du Vieux-Colombier à Paris.

L'Afrique dans le Lot

Arts de la scène

La neuvième édition du festival Africajarc aura lieu, du 26 juillet au 29 juillet 2007, à Cajarc dans le Lot. L'édition 2006 avait accueilli plus de 20 000 spectateurs. Au programme, quatre soirées musicales avec notamment Salif Keita, Mory Kanté et Adb al Malik, ainsi que de nombreuses rencontres littéraires et des séances de dédicaces avec entre autres Khadi Hane, Gaston Kelman, Boniface Mongo-Mboussa, Sayouba Traoré...

Contacts : www.africajarc.com
Renseignements : 05 65 40 77 89 / 05 65 40 29 86
Réservations : 06 33 60 40 34

Initiatives Africaines au pont Alexandre III

Arts visuels

En 2005, un colloque, organisé par le pasteur Dominique Kounkou, posait la question : « Y a-t-il une politique africaine de la France ? », à la fin de celui-ci, les participants ont souhaité poursuivre la réflexion autour de la création d'une ONG, *Initiatives africaines* était née.
Cette dernière, en collaboration avec Marie-Laure Croiziers de Lacvivier, a organisé à la culée rive gauche du pont Alexandre III des journées portes ouvertes du 1er au 21 juin 2007 s'intitulant « Un pont... et une fenêtre sur... » l'Afrique. De nombreux artistes ont été conviés (sculpteurs, peintres, plasticiens...) et plusieurs colloques ont été organisés, notamment une journée sur le rôle de la femme en Afrique et une autre sur la nouvelle coopération *africano-française*.

Je m'abonne à *Cultures Sud*, la revue des littératures d'Afrique, des Caraïbes et de l'océan Indien.

À retourner à La Documentation française : 124, rue Henri Barbusse 93308 Aubervilliers Cedex France

Bulletin d'abonnement et bon de commande

Je m'abonne à Cultures Sud
un an, 4 numéros

- ☐ France métropolitaine (TTC) 43,50 €
  soit près **de 13%** d'économie sur l'achat au numéro
- ☐ Union européenne 46 €
- ☐ Europe 43,60 €
- ☐ DOM et régime particulier 39 €
- ☐ Autres pays 49 €
- ☐ Supplément envoi rapide par avion 10 € pour les pays hors d'Europe

Je commande le(s) numéro(s) suivant(s) de *Cultures Sud*
livraison sous 48 heures

. . . .
. . . .
. . . .

pour un montant de . . . . €
participation aux frais d'envoi (sauf abonnement) + 4,95 €
Soit un total de . . . . €

Voici mes coordonnées ☐ M. ☐ Mme ☐ Mlle
Nom : . . . . Prénom : . . . .
Profession : . . . .
Adresse : . . . .
Code postal : . . . . Ville : . . . .
Courriel . . . .

Ci-joint mon règlement de . . . . €

- ☐ Par chèque bancaire ou postal
  à l'ordre de M. l'Agent comptable de La Documentation française
- ☐ Par mandat administratif (réservé aux administrations)
- ☐ Par carte bancaire N° ⌊_⌊_⌊_⌊_⌊ ⌊_⌊_⌊_⌊_⌊ ⌊_⌊_⌊_⌊_⌊ ⌊_⌊_⌊_⌊_⌊
  Date d'expiration : ⌊_⌊_⌊_⌊_⌊_⌊_⌊ N° de contrôle ⌊_⌊_⌊_⌊

(indiquez les trois derniers chiffres situés au dos de votre carte bancaire, près de votre signature)

Date Signature

P 1095

Informatique et libertés : conformément à la loi du 6.1.1978, vous pouvez accéder aux informations vous concernant et les rectifier en écrivant au Département de la Promotion de La Documentation française. Ces informations sont nécessaires au traitement de votre commande et peuvent être transmises à des tiers sauf si vous cochez ici ☐

Vous pouvez vous abonner à la revue ou en acheter un exemplaire

par correspondance

La Documentation française
Service commandes
124, rue Henri Barbusse
93308 Aubervilliers Cedex
Télécopie : 01 40 15 68 00
ladocumentationfrancaise.fr/espace-client

@ sur Internet

www.ladocumentationfrancaise.fr
vente au numéro :
onglet « acheter en ligne » puis recherche dans le « catalogue éditorial »
abonnement :
onglet « acheter en ligne » puis « abonnement aux revues »

en librairie

dans les librairies de la Documentation française
(Vente au numéro)

- Paris 29-31, quai Voltaire
  75344 Paris Cedex 07
  du lundi au vendredi de 9h à 18h
- Lyon 165, rue Garibaldi
  la Part-Dieu
  69001 Lyon Cedex 03
  du lundi au vendredi de 8h30 à 17h